MW00938551

AUSTRAL JUVENIL

FRAN LEEPER BUSS
DAISY CUBIAS
EL VIAJE
DE LOS GORRIONES

TRADUCCIÓN DE AMALIA MARTÍN-GAMERO
ILUSTRACIONES DE JULIA DÍAZ

ESPASA CALPE, MADRID

Director Editorial: Javier de Juan
Editora: Nuria Esteban
Diseño Colección: Miguel Ángel Pacheco
Titulo original: *Journey of the Sparrows*

© Lodestar Books, Nueva York, 1991
© Espasa-Calpe, S. A., Madrid, 1993

Depósito legal: M. 5.380-1993

ISBN: 84-239-7154-6

Impreso en España
Printed in Spain

Talleres gráficos de la Editorial Espasa-Calpe, S. A.
Carretera de Irún, km. 12,200. 28049 Madrid

Aunque **Fran Leeper Buss,** la autora, desde hace tiempo vive en Tucson (Arizona) con su marido y tres hijos ya mayores, a menudo se dedica a viajar a lo largo y ancho de Estados Unidos recogiendo datos en su grabadora sobre los diversos ambientes étnicos y raciales del país.
Este libro ha sido reconocido con varios galardones, entre ellos el **Premio A.L.A.,** de la Asociación Americana de Bibliotecas.

Daisy Cubias abandonó El Salvador cuando era muy joven para ir a trabajar a Estados Unidos. Actualmente reside con su familia en Milwaukee (Wisconsin) y dedica la mayor parte de su tiempo a la poesía.

Julia Díaz, la ilustradora, nació en Argentina. Estudió Dibujo y Escenografía en la Escuela de Bellas Artes de La Plata, Buenos Aires. Desde 1972 trabaja como ilustradora. Le gusta el teatro, la música y navegar a vela. Tiene una hija que muchas veces le ha servido de modelo para sus dibujos. Actualmente vive en Barcelona.

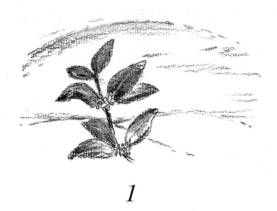

1

Mi hermana, mi hermano y yo íbamos apretujados unos contra otros en el oscuro cajón. Yo sentía el cuerpo de la tercera persona, un chico llamado Tomás, prensado contra el mío, mientras todos conteníamos la respiración y permanecíamos inmóviles. «La inmigración, *la migra*[1]. ¡Estaos quietos!», nos advirtió el hombre que nos llevaba clandestinamente hacia el norte. El respirar en el cajón había sido muy difícil hasta entonces y, cuando sentía que me desvanecía, había tratado de coger aire. Pero ahora me daba miedo hasta respirar. Óscar, mi hermano de seis años, empezó a lloriquear y mi hermana mayor, Julia, le tapó la boca con la mano y le apretó más contra nosotras. Notaba que Tomás empezaba a temblar pegado a mi espalda y yo estaba tan apretujada contra el abultado vientre de Julia que me parecía sentir al niño moverse.

---

[1] *Sic.* Término con que los inmigrantes clandestinos designan en el lenguaje corriente a las autoridades de inmigración. *(N. de la T.)*

Fuera hubo un llanto apagado, tal vez procedente de otro cajón, luego se hizo un silencio perturbado tan sólo por el olor a cebollas y tomates. De repente, empezaron a mover a golpes las bolsas y cajas de verduras encima de nuestros cajones y un hombre dio unas órdenes en inglés que yo no entendía. Su voz parecía cruel, como las voces de los soldados gubernamentales, los llamados *Guardias*[2], que habían llegado a nuestra casa hacía algunos meses.

Noté que las lágrimas me corrían por las mejillas, pero no podía liberar una mano para enjugármelas. Los hombros de Julia se balanceaban de acá para allá al apretarle a Óscar la cara contra su pecho, y el dolor que yo sentía en el cuello, que llevaba encorvado, se me extendió a la cabeza y a los hombros. Finalmente se alejaron las voces de los hombres y el motor del camión en el que íbamos escondidos se puso en marcha de nuevo. Luego la voz familiar del hombre gritó en español: «Se han ido. El camino está despejado.»

Estaba oscuro cuando nos encerraron en el cajón, pero ahora entraba una raya de luz del día por una rendija. El cajón retumbaba en el suelo del camión, nuestros cuerpos vibraban unos contra otros y el motor rugía incesantemente. Julia iba a mi derecha y Tomás a mi izquierda. Iba encogido y tumbado de lado con el pecho contra mis caderas y las piernas dobladas bajo las mías. Yo iba ahora sentada tratando de acurrucarme hacia delante, con las rodillas hacia arriba cruzadas sobre sus piernas. Pero yo sentía que cada sacudida del camión me empujaba más cerca del cuerpo de este chico desconocido. Advertía su humedad, y su sudor olía salado. El pequeño Óscar se revolvía sobre Julia y sobre mí, sin que

---

[2]   En español en el original. *(N. de la T.)*

ninguna parte de su cuerpo llegase a tocar el fondo del cajón. A medida que pasaba el tiempo, el dolor se me bajaba por la columna vertebral hasta darme la impresión de que se me partía la espalda.

Finalmente no pude aguantarlo ni un minuto más. Sacudí bruscamente el pecho hacia delante contra las piernas por la apremiante necesidad que sentía de estirarme y empujé a Julia con fuerza contra el cajón. Óscar se cayó entre nuestras piernas.

—¡Julia, María, dejadme salir! —gritó Óscar revolcándose—. Tengo sed. Quiero ir con mamá —golpeó el cajón con las manos.

Yo me puse a sollozar estrepitosamente.

—¡Lo siento, Julia. Lo siento —una ola de terror me invadió por dentro.

—Padre nuestro... —Tomás empezó a rezar detrás de mí.

Me di cuenta de que Julia trataba de agarrarle a Óscar las manos en la oscuridad y, manteniéndoselas cogidas, dijo severamente:

—María, cálmate. Lo conseguiremos. Cálmate. Trata de respirar despacio.

Volví a encorvar la espalda y traté de hacer lo que mi hermana me decía.

Julia giró hasta volver a equilibrarse, luego susurró más suavemente:

—Hermanita, ayudará que recuerdes cosas buenas. Recuerda el *amate*[3] de casa.

—Sí —dije, tratando de aparentar que estaba tranquila.

—¿Te acuerdas cómo te empujaba yo para que su-

---

[3]   Higuera de México. En español en el original. (*N. de la T.*)

bieses al árbol antes de que fueses lo bastante mayor como para subir tú sola?

Moví la cabeza afirmativamente en la oscuridad.

—¿Te acuerdas que *papá*[4] se sentaba apoyado en él por la noche, cuando volvían del campo?

—Sí. *Papá* —contesté.

—*Papá* —coreó Óscar.

—¿Te acuerdas de las canciones que cantaba? —Julia se puso a cantar bajito con la voz forzada:

> *Tiernos pajarillos*
> *que cantáis al atardecer*
> *verdes arbolillos*
> *como esmeraldas al reverdecer.*

Volví la cabeza. No quería pensar ni en *papá* ni en Ramón, el marido de Julia. Se habían ido. Luego empezó a cantar una canción de amor, una de las que habíamos cantado cuando Julia y Ramón se casaron. El canto pareció tranquilizar a Óscar.

Yo traté de pensar en nuestra tierra. El cielo, piensa en el cielo, me dije. Cerré los ojos con fuerza, a pesar de la oscuridad que había en el cajón, y traté de ver los colores. El penetrante azul del cielo, que siempre iba conmigo, pareció impulsarme hacia arriba, y sentí que me tocaba las mejillas y que me calmaba la cara, como la mano de mi madre cuando era más pequeña. Luego vi nuestra tierra durante la época de las lluvias. El mundo

---

[4] Los términos papá y mamá aparecen siempre en español en el original. Como hay con cierta frecuencia palabras en español, a fin de evitar la proliferación de notas a pie de página, de ahora en adelante esas palabras irán en cursiva, ya que están tomadas literalmente del texto original. *(N. de la T.)*

estaba verde, y las inmensas nubes blancas me revelaban el semblante secreto de los santos. Manadas de periquitos verdes y amarillos se remontaban por encima de nosotros y, en octubre, las flores del café, de color rosa pálido, transmitían su dulce aroma al aire límpido. Nuestro gallo blanco y marrón cacareaba al amanecer todos los días y, por las tardes, las puestas del sol tejían la vestimenta de los indios de las historias de nuestro padre utilizando hebras rojas, doradas, violeta y azules. En el interior de la iglesia, los ropajes azules, las flores amarillas y los sagrados rostros de la Virgen y de los santos nos daban ánimos, y en la torre la campana marcaba el ritmo de nuestras vidas y doblaba en señal de duelo por la muerte de mis hermanos y de mi hermana.

Pensaba en todo esto mientras estaba acurrucada en el cajón. Habíamos sido tan pobres en casa que no teníamos más que flores y hambre. Cuatro hermanos y una hermana habían muerto a consecuencia de los parásitos y de la falta de alimentos. Finalmente, mi padre y otros pocos trajeron a nuestro pueblo una enfermera y una profesora y eso es por lo que yo aprendí a leer. Recordaba a la profesora de pie entre las gallinas delante de su casita. Tenía la mano derecha en la cadera; con la izquierda se retiraba la larga cabellera mientras contemplaba la puesta del sol. Pero el rojo del ocaso empezó a desparramarse hacia fuera, hacia mí, y oí el chasquido de las armas de fuego al ser puestas a punto, y vi a la gente, con la boca abierta, gritando.

Agité la cabeza de un lado para otro, de un lado para otro, en el cajón, tratando de no recordar.

—¡*Quetzal!*[5] —grité repentinamente—. ¡*Quetzal!*

---

[5] Ave trepadora propia de la América tropical de plumaje muy vistoso y brillante. (*N. de la T.*)

¡Ayúdanos! ¡Ayúdanos! —aporreé la parte superior del cajón con los puños, sollozando, hasta que Julia giró el cuerpo y trató de cogerme las manos.

Tomás se volvió de golpe y me agarró por detrás, apoyándome la espalda en su pecho y tratando de hacerme bajar las manos.

—¡Para! —gritó—. Estáte quieta —lentamente dejé de luchar con tanto ímpetu y apoyé la frente en las rodillas llorando. Pensé en el *quetzal*.

—María —dijo de nuevo Julia con severidad—. No podemos hundirnos. Ahora, cuéntame. Cuéntame la historia de cómo encontraste el *quetzal*. Te ayudará a sentirte mejor.

Me tembló la voz pero traté de hacer lo que me decía.

—Habíamos caminado por una vereda en las montañas y, de repente, nos topamos con un montón de pequeñas jaulas.

—Así es. Pero ¿quién llegó allí primero?

—Yo, pero Óscar iba justo detrás de mí —dejé de hablar, seguía llorando en silencio.

—Continúa —me ordenó Julia.

—Había un gran pájaro verde debatiéndose en la jaula de más abajo. Me puse de rodillas y miré. Entonces es cuando tú llegaste. Te dije que se moriría.

—Sí, fue así como pasó. ¿Y qué te dije yo?

—Me dijiste que los cazadores probablemente estarían cerca. Que deberíamos escondernos.

—¿Luego, qué pasó?

—*Mamá* llegó también y dijo: «Un *quetzal,* como en las historias de vuestro padre.» Y tú preguntaste a *mamá*: «¿De verdad, el buen *quetzal*?» *Mamá* respondió que sí y Óscar dijo: «Es mágico.»

Tomás me soltó y habló desde detrás de mí en la oscuridad:

—¿Queréis decir que encontrasteis realmente un *quetzal*?

—Sí, de verdad —dijo Julia—. Fue cuando vagábamos por las montañas —la sentí volverse hacia él. Fue entonces cuando me di cuenta de lo estrechamente que me había estado sujetando Tomás. El cuerpo me ardía de vergüenza. ¿Qué dirían mi madre o mi abuela de una chica que estaba tan cerca de un chico? Yo estaba agradecida de que Julia no pudiese ver en la oscuridad lo roja que se me ponía la cara.

—Sigue, hermanita. ¿Qué hiciste entonces?

—Retorcí el alambre que mantenía cerrada la jaula. El pájaro estaba aterrado y movió las alas aún con más fuerza. Luego el alambre se me soltó de un tirón entre los dedos y la jaula se abrió de golpe.

—Y todos dimos un salto hacia atrás —continuó Julia.

—Yo también. Me acuerdo —añadió Óscar, mientras se revolvía para cambiar de postura.

—El pájaro salió pesadamente de la jaula —dije, mirando hacia atrás en dirección hacia Tomás, cuya cara no podía ver en la oscuridad—. Al principio las alas no le respondían, pero luego se elevó por delante de nosotros hacia el cielo. Abrió la larga cola y pudimos ver sus otros colores.

Después me susurré el final de la historia:

—¡*Quetzal*! —grité mientras se alejaba volando—. Ayúdanos. Ayúdanos a ponernos a salvo.

Nuestro camión topó con un bache en la carretera y los cajones rebotaron hacia arriba y luego cayeron de golpe. Yo choqué con la cabeza en la parte superior del cajón, y me empezaron a doler aún más el cuello y las caderas. Oímos gritos procedentes de los cajones que teníamos alrededor, y Óscar se me hizo pis en las piernas. Lloraba y lloraba y yo trataba de acariciarle y calmarle. Julia también lloraba y Tomás estaba rezando de nuevo.

Al enfriarse el pis de Óscar, me di cuenta de lo helado que se estaba poniendo el cajón. Tomás tiritaba y Óscar se lamentaba:

—Tengo frío, tengo sed.

Óscar seguía llorando bajito a medida que pasaban las horas. Luego, de repente, Julia gritó:

—¡No veo la luz! Se ha ido. ¡Estoy ciega! ¡Estoy ciega!

Me quedé aturdida y horrorizada. Debí de haberme quedado dormida.

—No, no estás ciega —dijo Tomás a Julia.

—Es la noche —grité precipitadamente—. Julia, es probablemente de noche. Yo tampoco veo luz.

Tomás temblaba y yo noté que el frío me subía por la columna vertebral y me bajaba por los brazos. Sentía las piernas entumecidas y dormidas, pero las rodillas me dolían.

—Tengo tanta sed —dijo Julia.

—¿Qué me ha pasado? —gritó Tomás—. ¿Por qué no habré traído agua?

—A casa —gimió Julia—. Ramón, quiero ir a casa —luego dijo aterrada—: María, ¿dónde estás?

—Estoy aquí, Julia. No te abandonaré.

—¿Y mi niño? No se mueve. ¿Y si esto ha matado al niño de Ramón?

—Tu niño está vivo. Le sentí moverse cuando la *migra* paró el camión —traté de seguir hablando pero tenía tanta sed que la lengua, que se me había inflamado, se me pegaba al paladar. Las palabras me salían imprecisas y me dolía la garganta por la falta de agua.

Seguimos acurrucados en silencio durante un rato, tiritando de frío. Óscar seguía gimoteando: «Agua.» Yo rezaba el rosario: «Ruega por nosotros pecadores... en la hora de la muerte... Madre de Dios...», y ya no sabía si era yo la que lloraba o si era uno de los otros. Ya no me volví a dormir pero mi mente divagaba y hubo un momento en que pensé que unas plumas verdes me rozaban la cara. Estaba de nuevo en el río por donde habíamos cruzado y oía la profunda agitación del agua al arremolinarse y la ininterrumpida llamada de las ranas.

Tomás empezó a chillar irrumpiendo en mis pensamientos:

—¡Mi pie! ¡No puedo mover el pie! ¡Se me ha congelado! —se sacudió frenéticamente contra mí, lanzando los brazos contra mi espalda.

—¡Para, Tomás! ¡Para! —vociferé.

Dejó de balancear los brazos y se puso a llorar:

—Es el frío y estas botas —sollozó—. Estas malditas botas que me están pequeñas. Me han cortado la circulación de los pies. Dios mío, no fue tan horrible cuando vine la otra vez.

Busqué a tientas para tratar de frotarle el pie, pensando, pero ¿has venido otra vez? ¿Y has sobrevivido? ¿Estás vivo? Sentía su cara húmeda contra mi espalda. Sus lágrimas eran calientes.

El frío pareció envolverme y empujarme dentro de mí misma hasta sentirme lejos de los demás. Finalmente, dejé de pensar y de moverme y permanecí en silencio junto a los otros cuerpos.

Luego, a lo lejos, oí golpear los cajones. El nuestro dio una sacudida y algo rompió la madera. Parpadeé. Una luz brillante nos iluminó y pude mover la cabeza hacia atrás. Un hombre me agarró del brazo y me levantó de un tirón diciendo: «Vamos. ¡Sal! ¡Sal!» Al mirar hacia la luz me sentí como expuesta, como si no llevase nada puesto. Me levanté a trompicones y salí del cajón y entonces me desplomé entre otros cuerpos en la parte posterior del camión. Permanecí allí a oscuras hasta que Óscar empezó a llorar.

Los hombres que nos habían traído se pusieron sin pérdida de tiempo a tirar de nosotros para bajarnos del camión y nos condujeron en la oscuridad de la noche a un edificio. Julia y yo nos quedamos, una arrebujada contra la otra, bajo la brillante luz. A Óscar le llevaba yo en brazos. Seguía gimoteando y tenía sus oscuros ojitos vueltos hacia un lado, y no podíamos hacerle que se pusiese de pie.

Una mujer de cabello oscuro avanzó hacia nosotros, le tocó a Julia en el brazo y nos dijo en nuestro idioma: «He venido a recoger a Tomás. Que se abrasen en el infierno por cómo os han traído. Envuelve al niño en mi abrigo y venid conmigo.»

La seguimos sin proferir palabra. Nos sacó de allí y nos llevó a otro edificio, subimos muchas escaleras hasta llegar finalmente a una habitación caliente donde nos dio agua y aspirinas, y nos dijo que descansásemos en el suelo. Con la vista fija en los alambres incandescentes de un pequeño calentador me quedé dormida, y en sueños me abalancé contra los hombres golpeándoles con los puños mientras nos encerraban en el cajón. Luego me sonrojé al darme cuenta de que estaba pegada al cuerpo de Tomás.

Me desperté repentinamente, confusa, y aparté la vista del calentador para dirigirla a la cara de una anciana cuyos oscuros ojos me observaban con curiosidad desde su rugoso semblante. Del moño se le habían escapado algunos mechones de pelo blanco, y olía a hierbas aromáticas, como suelen oler las comadronas.

—Vaya, ya te has despertado. Pues toma, bebe agua —dijo—. Cuánto habéis sufrido todos.

El agua estaba fresca al tragarla y el calor de la habitación resultaba acogedor. «*Gracias*», dije a la anciana mientras dejaba la taza vacía. Yo seguía en el suelo y Julia yacía dormida a mi lado, con la cara, al fin, serena. Óscar estaba dormido en un sofá. Estaba ojeroso y pálido y se cubría los ojos con un brazo. Tomás estaba despierto sentado en el suelo manoseando el asa de una taza vacía. Apoyaba la espalda contra una pared descascarillada y tenía el pie izquierdo vendado. Le habían metido en el cajón después de mí, siendo ya de noche, y no le había podido ver. Ahora veía que tenía la cara ancha y serena con círculos oscuros debajo de los ojos que miraban hacia abajo. No era aún un hombre hecho y derecho, quizá tuviese quince años, lo mismo que yo, o unos pocos años más. Al otro lado de la habitación parpadeaba una vela ante una imagen de San Antonio, y el santo me miraba fijamente con ojos solemnes y maliciosos. Olía a incienso y hierbas, como en la iglesia de nuestro pueblo, y se oían voces y a un niño llorar en alguna parte.

La mujer que nos había llevado allí se arrodilló a mi lado, me acercó un poco de café a los labios y me retiró la larga cabellera de la cara.

—Soy Marta, la tía de Tomás, y esta es doña Elena —dijo, señalando a la anciana que estaba arrodillada a su lado—. Ha venido a ayudaros. El niño está dormido ahora. Y el niño de tu hermana está vivo. No lo va a perder —los ojos se le llenaron de lágrimas—. Pero a Tomás se le ha congelado el pie. Doña Elena está tratando de salvárselo.

Marta me dio el café caliente y llevó otra taza a Tomás, que dirigió la vista hacia nosotras. Yo entonces me apreté el vestido alrededor de las rodillas. Marta dijo:

—Desde qué lejos habéis tenido que venir. Sois de El Salvador, ¿verdad?

Yo pegué un respingo, y la cara me abrasaba del miedo que tenía. Si lo sabían podían enviarnos a casa. Lo negué con la cabeza violentamente.

Pero la mujer no hizo más que mirarme fijamente y asentir con la cabeza:

—Sí lo sois —dijo suavemente—. Sí.

Finalmente susurré:

—No podemos volver. Nos matarían. Nosotros estamos aquí y *mamá* y Teresa están enfermas en México. Por favor, no nos haga volver allí.

La anciana contestó desde mi otro lado:

—No, niña mía. No tengas miedo. No te haremos daño.

2

Me volví a dormir y soñé, y en mis sueños el viento me levantó de manera que empecé a volar por el aire estirando las manos y las piernas lo más que podía. Luego el viento me empujó hasta mi pueblo y me depositó suavemente delante de nuestra casa de yeso y palos. Me quedé en la puerta mirando hacia la fresca oscuridad del interior y oí a mi madre palmeando *tortillas*[1] y cantando para sí misma mientras acunaba a Teresa:

> *El día en que tú naciste*
> *nacieron también las flores,*
> *el día en que tú naciste*
> *cantaron los ruiseñores.*

---

[1]   En América Central y México la tortilla es una especie de pan ácimo que se hace palmeando entre ambas manos una masa, generalmente de harina de maíz, o de otras harinas, para extenderla de forma circular y cocerla. Es la base alimentaria de muchas gentes. *(N. de la T.)*

Oí risas y, al volverme, me vi con Julia de niñas. Estábamos sentadas bajo nuestro cobertizo de palos riéndonos mientras pelábamos grano para meterlo en bolsas de arpillera. Julia tenía las piernas estiradas y con los pies descalzos presionaba los montones de polvo del mediodía, pero tenía la cara y los hombros a la sombra. A pesar de ello tenía la frente y el labio superior mojados de lo que sudaba al trabajar. Yo estaba sentada más adentro, en la sombra del cobertizo, restregando mazorcas de maíz y escuchando a Julia hablar de Ramón. Los ojillos de Julia, al igual que los míos, eran tan oscuros como el café, pero ella no tenía un hoyuelo en la barbilla y su tez era pálida como una paloma de color marrón claro. La vi alargar una mazorca mientras reía y yo seguí el movimiento del brazo. Pero entonces me miré los brazos y las piernas, que eran más oscuros, y fruncí el ceño.

Julia advirtió mi gesto. «María —dijo—, te estás haciendo mayor y pronto empezarán los chicos a fijarse en ti. Mira, te voy a enseñar lo grande que eres. Pon las manos contra las mías.» Juntamos nuestras manos húmedas en el frescor del cobertizo, pero la diferencia de color era la diferencia que hay entre el sol y las sombras, y yo volví la cara apartándola de mi hermana.

Cuando me desperté era por la mañana. Miré de soslayo el sol que entraba por la ventana agrietada con un visillo de encaje. La luz era tan fuerte, después de la oscuridad del cajón, que noté que me lloraban los ojos. Me dolía todo el cuerpo, y gemía al moverme. Tenía los brazos y las piernas hinchados y llenos de magulladuras, y las manos las tenía en carne viva de los golpes del cajón. Seguía en el suelo tapada con una manta pero ahora no tenía cerca más que a Tomás. Yacía en el mismo sitio en que había estado sentado la noche anterior y se quejaba en sueños. Al mismo tiempo se oía música mexicana que procedía de otro cuarto.

Los ojos se me iban acostumbrando a la luz mientras miraba en derredor. La habitación me parecía alegre, con muchos colores. Una pared era amarilla fuerte; las otras eran blancas. A la izquierda de la ventana había colocado un cuadro con margaritas de color naranja y en la pared de la derecha había una cruz con grandes flores moradas y de color rosa, como las que se ponen en las sepulturas en México. Un gran póster con una mujer pelirroja muy sonriente y con un vaso de cerveza en la mano estaba colgada sobre el sofá. Encima tenía escritas las palabras ME GUSTA CARTA BLANCA. De una esquina a otra del techo colgaban guirnaldas de espumillón dorado y plateado que me recordaron los adornos navideños que había visto en una tienda.

Luego vi el televisor. Estaba apagado pero yo nunca había tenido uno tan cerca. Me puse de pie, aunque estaba tan dolorida, fui hacia el televisor y pasé cuidadosamente los dedos por la suave pantalla. La estatua de San Antonio estaba primorosamente colocada en una toalla azul sobre el televisor y encima había un calendario con un Jesús rubio que llevaba un cordero. Cuando estaba alargando la mano para tocar al santo apareció Marta en la puerta y me indicó que la siguiese.

Entré en la cocina y vi a Julia sentada en una silla. Tenía a Óscar en el regazo contra su tripa de embarazada. Virgen Santísima, pensé para mis adentros, Tú nos has traído hasta aquí vivos.

Marta, una mujer bajita y regordeta, iba vestida de colores tan vivos como los de su casa. «Oh, *mijita* —me dijo con su voz sonora y animosa mientras me examinaba uno tras otro mis magullados brazos—. Malditos *coyotes,* os han tratado tan mal que harían blasfemar hasta a la santísima Virgen María. ¡Es atroz, atroz!» Chasqueó la lengua y sacudió la cabeza, lo que le hizo vibrar el pecho. Julia y Óscar estaban también magullados y maltrechos. Marta se sentó hacia atrás y dos niñitas, con las caras redondas como la suya, se pusieron detrás de ella.

En las agrietadas paredes amarillas de la cocina había clavadas con chinchetas imágenes de santos, flores de plástico y un póster de unos perritos de brillantes ojos. Del techo colgaba una bombilla, en el suelo, en una caja de cartón, había una bolsa de patatas y de un grifo del fregadero caían unas gotas de agua. La radio que tocaba música estaba en una repisa y en la mesa había una bolsa de pan medio vacía. El estómago se me retorcía de hambre.

Julia le acercó a Óscar a los labios una taza de agua y me miró. Su voz estaba llena de aprensión.

—Óscar no puede hablar —me dijo— y los ojos se le vuelven.

Me agaché hacia Óscar, le di unos golpecitos en la cara y le sacudí el brazo.

—¡Óscar! ¡Óscar! Gorrioncito. Mírame. Soy María.

Óscar dirigió los ojos hacia mí, luego se le volvieron hacia arriba, después hacia la derecha. El dolor que tenía en el pecho se me agudizó.

—¿Cuánto tiempo lleva así? —pregunté a Julia.

—Cuando me levanté por la noche, parecía estar mejor, pero desde que se ha despertado esta mañana se le van los ojos y no habla.

Marta suspiró. Llevaba una blusa escotada y, metiéndose la mano en el sostén, sacó un pañuelo que se pasó por la frente:

—Tantos niños quedan tarados así. ¡Angelitos! —de

repente levantó los brazos y su voz subió de tono—: ¡Uno de mis sobrinos murió por el camino! La gente se esfuerza tanto como si esto fuese el paraíso terrenal. Tomás hizo el viaje otra vez y no supimos de él durante nueve días —alargó la mano por encima de la mesa y le tocó la cara a Óscar—: ¿Cómo estaba Óscar antes de salir de México?

—Estaba débil de no comer, pero no así —contestó Julia.

—Óscar es muy listo —dije—. Cuando aún estábamos en casa, yo le estaba enseñando a leer.

—*Pobrecito, pobrecito,* pobre niño —dijo Marta, acariciándole una mano—. Doña Elena tratará de ayudaros —inclinó la cabeza hacia una silla vacía—: Mira, María, siéntate y toma un poco de café con pan —me senté y engullí el pan que me ofrecía, cuyo sabor dulce me apagó el hambre. Luego miré a Óscar.

Llevaba puestos unos calzoncillos manchados de caca y una camisa sin botones; parecía muy pequeño en el regazo de Julia. Sus magulladas piernas eran largas y delgaduchas y tenía las rodillas inflamadas, como un niño con parásitos. Me acordé de la forma en que solía sostenerse sobre un solo pie, con los ojos muy abiertos y pestañeando, cuando parecía estar pensando en algo especial. En casa era yo quien le cuidaba. Estaba siempre conmigo, hablando sin parar y siguiéndome cuando salía o entraba en casa, o cuando iba a los sembrados y a la fuente, y tratando generalmente de llevar en las manos más piedras de las que podía. En cierta ocasión encontró un gorrión con una pata rota. Le ayudé a cuidarlo y durante varios días llevaba el pájaro en una mano y unas piedrecitas en la otra. Yo le llamaba «Óscar gorrioncito».

Marta se quitó el pañuelo rojo de su corto cabello negro y dijo:

—Ya llevo cuatro años acá. Dejé a cinco niños con mi madre en México. Mi marido estaba aquí y vine a estar con él, pero, después de haber tenido otras dos niñas, la inmigración le cogió y le devolvió para allá. Cuando le cogieron, yo vociferé y grité. Juro por Dios que le echo de menos —volvió a dejar la taza de café en la mesa y cogió en brazos a una de sus hijas—. También echo de menos a mis hijos de México. Están enfermos. Por eso tengo que quedarme a trabajar aquí.

—¿Gana bastante para ayudarles? —preguntó Julia.

—Un poco, un poco —respondió Marta, sacudiendo su suelta vestimenta.

Yo estaba sentada a la mesa observando a Julia, a Marta y a Óscar, que tenía aspecto muy enfermo y raro. *Papá*, no sé si lo voy a poder hacer, me dije.

—Teníamos en México una amiga llamada Beatriz —le dijo Julia a Marta—. Nos contó cómo íbamos a tener que vivir aquí arriba en el norte. Nos dijo que tendríamos que ser invisibles, no quejarnos nunca, que nadie se diese cuenta de nosotros. Porque no tendríamos papeles y si nos cogían nos devolverían a nuestro país.

Marta asintió con la cabeza.

Me acordé de Beatriz. Estábamos un día sentadas en el suelo de su casita de adobes mientras ella machacaba chiles y cebollas. Una luz azul pálida y humeante se filtraba en la oscura habitación por la puerta abierta. Fuera ladraba un perro y un hombre cantaba. Mi madre arrullaba a mi hermana pequeña, Teresa, que tenía en brazos.

—Algunos tratan de cruzar la frontera clandestinamente. Pero muchos se ahogan —dijo Beatriz—. Conozco gentes que pasaron las montañas, pero luego les cogieron y les metieron en la cárcel. Cuando era joven, antes de tener niños, crucé el desierto a pie, pero fue terrible.

Dejó los chiles y se puso a amasar la pasta para las tortillas:

—Encontramos dos cadáveres cuando íbamos hacia el norte —dijo—. Así que les pusimos unas cruces hechas con palos al lado de la cabeza. Creo que quizá los matasen las serpientes de cascabel —dejó caer las manos en el regazo—. Oh, cuánto sufrimos para subir allí, donde ni siquiera nos desean, excepto para hacer el trabajo que otros no quieren hacer.

—Pero si nos vamos a nuestro país, nos matarán. Si nos quedamos en México, nos moriremos de hambre. Si no nos vamos hacia el norte, moriremos —susurró Julia.

—Sí —contestó Beatriz—, os moriréis.

Ahora estábamos en Chicago, vivos, esperando poder mandar algo de dinero a *mamá* y a Teresa. Finalmente habíamos pagado a los *coyotes*, que son los hombres que pasan a la gente clandestinamente, para que nos trajesen en los cajones. Yo me estremecí de pensar en los cajones y miré a Óscar. Luego le miré la cara a Julia. Todavía conservaba su belleza, con los ojos almendrados y con su grueso labio superior, pero tenía los labios y las mejillas pálidos. Las ojeras se le habían oscurecido, el cabello se le había escapado de la trenza que llevaba colgando por la espalda, y la tripa se le había abultado increíblemente.

—Podéis quedaros con nosotros hasta mañana —dijo Marta—, pero entonces tendréis que marcharos. Tengo muchos huéspedes. Si no fuese invierno... —se rió entre dientes y golpeó la mesa con las manos—. Hace tanto frío que la leche de una vaca se helaría antes de llegar al cubo —Julia sonrió.

Yo fui hacia la ventana. A pesar de que estaba cerrada el aire frío me dio en la cara. Parpadeé y volví a mirar hacia abajo. Nos rodeaban otros edificios, y había nieve en el suelo y en los tejados de las otras casas. La gente, enfundada en sus abrigos, iba con la cabeza inclinada hacia abajo, y no vi nada verde, tan sólo un árbol sin hojas que se balanceaba con el aire. Los coches, que eran mucho más numerosos de lo que jamás había imaginado, chapoteaban al pasarse unos a otros y un autobús, que se detuvo junto a una parada, salpicó la calle con nieve gris mojada. Había un hombre, acurrucado contra el edificio de al lado del nuestro, que no se movía como la demás gente. Le estuve observando hasta que una paloma bajó volando a una verja de madera de enfrente.

Sonreí porque la paloma me recordaba el *quetzal* y los pájaros de mi país. Volví a mirar al hombre. Tenía una botella en la mano pero no bebía de ella y yo me maravillaba de que alguien pudiese permanecer tan quieto con aquel frío. De repente pensé, ¿podría habernos seguido? ¿Sabe que estamos aquí? Me sentí mareada, me aparté de la ventana y me senté a la mesa mirando a Óscar. Ahora tenía los ojos cerrados.

Julia estaba sentada tranquilamente y Marta le sirvió más café.

—¿Tenéis algo de dinero? —le preguntó con dulzura.

Julia respiró a fondo y dijo:

—No, pero tengo esto —se metió la mano por el escote del vestido y sacó una cuerda con una pequeña bolsa.

Me volví rápidamente para cerrarle la mano. Lo llevábamos escondido desde hacía tanto tiempo...

—Julia, no —dije yo—. No lo digas.

—Sí, María —replicó y me empujó la mano—. Creo que ha llegado el momento y tenemos que confiar en alguien.

Miré rápidamente a Marta y noté que se me iba el

color de la cara. La vergüenza me quemaba las mejillas y miré fijamente la mesa.

Marta me puso su regordeta mano sobre la mía y dijo:

—Está bien, *mijita*. Lo comprendo.

Julia, que tenía a Óscar en brazos, le cambió de lado y se sacó la cuerda del cuello y abrió la bolsa. Cogió la cadena de oro con la mano. Su color era como la luz del sol.

—*Mamá* me compró esto cuando yo era una niña pequeña —dijo Julia—, para protegerme.

Marta se inclinó sobre ella.

—Bueno, con esto probablemente podréis pagaros la comida y un sitio donde dormir durante unos días —se miró su propia mano—. Yo tuve hace tiempo un anillo de boda, pero ya no lo tengo —se le llenaron los ojos de lágrimas. Volvió a sacarse el pañuelo del sostén y se sonó ruidosamente—. Dejaremos aquí a los niños, os conseguiremos ropa de la iglesia y venderemos la cadena. Mañana os llevaré a todos a casa de otros salvadoreños.

Marta le dio a Julia dos jerseys y una chaqueta para que se los pusiese y se dirigieron a la puerta del piso.

—Julia —susurré—, ten cuidado. Me parece que hay un hombre fuera. Le vi apoyado contra el edificio de al lado. No se movía. —Julia miró a Marta con ojos temorosos e interrogantes.

Marta fue a la ventana de la cocina y miró hacia la calle:

—Ahora no hay nadie allí —dijo—. Es probable que fuera sencillamente alguien sin hogar. La vida aquí no es toda color de rosa.

Sus hijas lloraron cuando ella y Julia se fueron. La pequeña me recordaba a Teresa, mi hermanita, que aún estaba en México. Me agaché, la cogí un momento y luego le entregué un biberón.

Óscar estaba sentado en una silla de madera con los ojos vueltos hacia arriba y desenfocados, y envuelto en una manta de manera que no se le veía más que un poco de la cara. Yo cogí un pedazo de pan y le indiqué: «Gorrioncito, come por mí». Le puse un poco en la boca y me miró fijamente, luego lentamente lo masticó y lo tragó. Le di de comer toda una tajada de esa manera, hablándole mientras se la comía.

—Óscar —le dije—, lo conseguimos. Estamos aquí en el norte, donde todo el mundo se hace tan rico. Tendremos mucho para comer y enviaremos dinero a *mamá* y a Teresa para que puedan reunirse con nosotros, te lo prometo —los ojos se le agrandaron—. Y, Óscar, puedes ver la calle desde aquí. Todo el mundo lleva abrigos fuertes, incluso los niños. Hay nieve. Cuando tengamos ropa, jugaremos en ella.

Señalé la ventana:

—Cuando hace este frío, puedes echar aliento al cristal y se empaña.

Soplé contra él hasta que se puso opaco y luego escribí el nombre de Óscar con el dedo. Me contempló un minuto con una ceja ligeramente levantada; luego los ojos se le quedaron como sin expresión. Le levanté la cara hacia mí y me dirigí al fregadero.

—Mira, Óscar —dije—, hay agua corriente —abrí y cerré el grifo mientras me miraba—. Creo que también hay electricidad —fui hacia una llave de la pared y la subí y bajé varias veces. La bombilla se encendía y se apagaba cuando lo hacía. Empecé a sonreír, luego a reír de placer, mientras la apagaba y la encendía más deprisa y miraba a Óscar, que parpadeó dirigiendo la vista hacia el techo con emoción.

—Y me voy a comprar unos zapatos de fantasía de tacón alto —le dije a Óscar—. Y así es como andaré

—anduve de puntillas por la habitación, agitando los brazos con elegancia—: Voy a ser una señora de la clase alta muy especial —Óscar sonrió.

—¡Hay hasta una televisión! —fui y le cogí las manos—. A lo mejor, cuando Marta vuelva a casa nos deja verla —Óscar sonrió más—. Ya ves, Óscar. Ya ves, no hay que perder la esperanza.

Entonces me acordé del hombre de fuera. Quizá hubiese notado la luz apagándose y encendiéndose. Corrí a la ventana apoyando la espalda contra la pared al mirar hacia fuera. El hombre había vuelto al edificio de al lado y miraba hacia arriba en dirección hacia nosotros. Noté que el sudor me corría por la cara. Óscar susurró:

—María.

Yo me aparté de la ventana y me agaché a su altura de manera que mis ojos se encontraron con los suyos.

—*Papá* dice que viene el hombre de la sombra.

Los ojos se me llenaron de lágrimas y le apoyé la cabeza en la mía.

—Oh, Óscar, no pasa nada. *Papá, mamá* —grité—. ¿Qué voy a hacer?

Nos quedamos sentados en silencio hasta que oí a alguien moverse y levanté la vista. Tomás estaba a la pata coja, sobre la pierna derecha, en la puerta de la cocina. Yo bajé los ojos.

—Espero no haberte hecho daño en el cajón. Cuando no podía mover los pies —dijo—. Estoy... estoy avergonzado de cómo me porté.

Sacudí la cabeza y me puse muy colorada, por lo que la volví hacia el otro lado. Recordaba la presión de su cuerpo cuando nos empujaban uno contra otro.

—¿Cómo tienes el pie? —pregunté bajito.

—Realmente me duele mucho. ¿Cómo está? —hizo un gesto con la cabeza señalando a Óscar.

Yo sacudí la mía.

—No está bien.

Tomás fue hacia la ventana dando saltitos. Yo continuaba mirando hacia otro sitio.

—Lo detesto cuando hace frío aquí —dijo—. Este viaje ha sido peor que el otro.

Le eché un vistazo mientras él miraba por la ventana. A la luz del día vi que tenía el pelo castaño, rizado, que le caía por la frente: no era negro y liso como el mío. Luego pensé en el hombre de fuera. Abrí la boca para advertirle pero no me salieron las palabras.

Tomás se volvió hacia mí antes de que yo pudiera bajar la cara. Durante un instante le vi los ojos. Eran azules, como el cielo de nuestra tierra. Temblé, de lo azorada que estaba, pero noté el tacto de lo azul, como una luz sobre mi cara. ¿Por qué tiene los ojos azules? Me intrigaba porque tenía la piel casi tan oscura como la mía.

Tomás siguió hablando mientras se dirigía cojeando al fregadero:

—Donde vivíamos, cuando yo era pequeño, nunca hacía tanto frío como aquí. Únicamente hacía un poco durante las lluvias y cuando yo me iba nadando mar adentro. Pero el sol calentaba, incluso dentro del agua.

Yo no sabía qué decir. Nunca había estado así sola con un chico, por lo que esperé en silencio que Marta y Julia volviesen. Miré por la ventana dos veces, pero el hombre se había ido. Finalmente oí un ruido en la parte de afuera de la puerta y Marta irrumpió estrepitosamente seguida de Julia. Traían ropa. Yo sentí unas lágrimas de alivio en los ojos. Marta me miró y dijo:

—Ese hombre, el que te daba miedo, no es problema. No es más que un vagabundo.

Más tarde Marta puso el televisor y nos quedamos

sentadas mirando fijamente la pantalla con la boca abierta mientras contemplábamos un programa llamado *Popeye el marino*. Eran unos dibujos animados de un hombre de forma un tanto extraña y de una curiosa mujer muy delgada que hacían piruetas mientras se oía una música de fondo muy alta y ruidosa.

La anciana, doña Elena, volvió esa tarde y le cambió el vendaje del pie a Tomás. También rezó parte del Santo Rosario, mientras él yacía acurrucado en el sofá, y yo estaba arrodillada en el suelo. Antes de irse me puso una mano sobre la mía. Era suave y fuerte, y sentí las arrugas de su piel, que eran como surcos. Después de haberse ido me quedó la sensación que me había producido su mano. Sentía en la mía cierta comezón y olía a ella, y esto me hizo pensar en el musgo de las elevadas rocas que hay cerca de nuestra casa y en un manantial que manaba de ellas y caía colina abajo.

3

Nos pusimos los abrigos nuevos cuando nos prepara-
mos para marcharnos del piso de Marta la tarde siguiente. El mío era de color vino y su grosor me reconfortó.
Le abotonamos la chaqueta a Óscar y cuando Julia, después de pasar los brazos por las mangas de su abrigo, de
cuadros negros y blancos, trató de abotonárselo se encontró con que no le llegaba por lo abultado que tenía el
vientre.

—Nene —rió acariciándose la tripa—. ¿Pero qué es lo
que le estás haciendo al cuerpo de tu mamá?

Marta se rió con su risa tan cordial y al hacerlo se le
agitaron el pecho y la tripa, y dijo:

—Como mis siete hijos. Sentía como si explotase por
todas partes.

Marta y Julia llevaban comida y yo llevaba a Óscar.
Las personas que nos pasaban en la calle iban muy arro-
padas pero yo podía verles las caras. Unas eran blancas,
algunas oscuras como nosotras y otras eran mucho más
oscuras. Marta les llamaba negros. Todo el mundo se

apresuraba por el frío y yo me preguntaba si siempre se moverían tan deprisa. Una mujer gritó a tres niños en inglés y dos hombres vinieron hacia nosotras con una radio puesta muy alta en la que tocaban una canción en español. Yo aparté la vista, pero les había visto mirándole la cara a Julia y durante un momento volví a sentir un intenso miedo. Luego pasaron un hombre bajito y una mujer hablando una lengua que yo nunca había oído.

Yo me quedaba mirando los anuncios de las tiendas y de los autobuses que pasaban ruidosamente por la calle. Julia no sabía leer. Cuando tenía mi edad, no había escuela, pero la profesora llegó a nuestro pueblo a tiempo para mí. Eso era por lo que mi padre pensaba que yo era lista —porque había aprendido a leer y también porque sabía dibujar santos y la gente elogiaba mis dibujos—. En cierta ocasión mi padre dijo:

—María, tú tienes inteligencia. Si hay alguien que pueda salvar a esta familia esa serás tú.

Tiritábamos y golpeábamos los pies. Un cartel que había en una alegre tienda pintada de color amarillo anunciaba en español: SE ADMITEN CHEQUES, PAGARÉS, CUPONES PARA COMIDAS. Un hombre estaba pegando en una tienda de comestibles un anuncio que decía ALITAS DE POLLO. Por todas partes veía grandes coches y oía radios funcionando. En los escaparates de los almacenes había a la venta televisores, joyas y ropa muy bonita. Un coche negro muy largo aparcó junto al bordillo delante de nosotras, y de él se apeó un hombre con un traje blanco seguido de cinco hispanas jóvenes. Todas llevaban vestidos largos, cada una de un color diferente, y se iban riendo: a lo mejor es que iban a una fiesta. Antes de entrar rápidamente en un edificio se remangaron las faldas con cuidado por encima de la suciedad de la acera y entonces les vi los zapatos de tacón alto amarillos, azules, verdes, violeta y de color rosa, que iban a juego con el color del vestido.

Julia señaló un cartel en español que había sobre otra tienda de comestibles.

—María, léeme eso —me pidió—. ¡La mujer tiene un aire tan feliz!

El cartel era un primer plano de una joven latina. En un brazo llevaba un niño riéndose. Con la mano del otro brazo levantaba un billete. Nos paramos y nos quedamos mirando. «EXPERIMENTA LA EMOCIÓN —leí en voz alta—. GANA UN MILLÓN DE DÓLARES. LOTERÍA DE ILLINOIS.»

—¿Un millón de dólares? —pregunté a Marta—. ¿De dinero americano? Nosotras no podríamos ganarlo, ¿verdad?

Marta se echó a reír, se encogió de hombros y levantó las manos.

—Bueno, a lo mejor podríais, si compraseis un billete. En cierta ocasión vi en la tele a una pobre mujer negra con algo así como ocho hijos, me parece, que acababa de ganar ¡y le había dado un ataque!

—¿Pero no a otras personas de aquí como nosotras?

—Sé de algunas que lo intentan. Tomás me regaló un billete para mi cumpleaños el año pasado. Me pasé la noche planeando qué haría con el premio.

Julia tenía los ojos brillantes y relucientes. Estamos en el norte, pensé, donde todo es posible.

Caminamos un poco más, luego oímos un estrépito y un estruendoso chirrido. Un tren pasó a toda velocidad sobre nosotras por un puente construido muy por encima de la calle. El puente vibraba de la trepidación. Nos quedamos con la boca abierta mientras lo contemplábamos, y luego tuvimos que echar a correr para alcanzar a Marta. Estaba tan sorprendida que apenas noté la nieve.

Finalmente Marta nos llevó a la puerta de otra casa de pisos. Me paré y tiré a Julia del brazo.

—Mira, Julia, guardias —en una ventana había un cartel con un soldado y las letras EJÉRCITO en la parte inferior.

—No, no, no —Marta sacudió la cabeza—. Eso no es más que un anuncio de reclutamiento del ejército. Alguien lo ha pegado en la ventana. No hay por qué preocuparse.

Marta abrió la puerta del edificio y entramos. Estaba oscuro y olía a pis. Oímos una música de *rock* muy ruidosa que provenía de detrás de una puerta. Un negro bajó las escaleras a toda velocidad y se cruzó con nosotras; a nuestro lado se abrió una puerta y una mujer muy rubia con pocos dientes apareció en el quicio. Me agaché, agarré a Óscar y le empujé hacia la parte oscura. Un chiquillo rubio delgaducho se asomó a mirar por debajo del brazo de la mujer. Marta empezó despacio en inglés: «Nuevos. Acaban de llegar», y entregó a la mujer nuestro dinero. La mujer se encogió de hombros, y el niño cerró la puerta, así que volvimos a estar solas en el portal.

—La gente de arriba os ayudará a manejarla —dijo Marta señalando la puerta de la rubia mientras subíamos las escaleras, ella jadeando con el esfuerzo. Se detuvo en el tercer piso y Julia y yo nos miramos. Julia estaba pálida; las dos estábamos asustadas y Óscar se aferraba a mí. Marta llamó a la puerta y un hombre, hispano como nosotras, la abrió. Oí una televisión y olía a judías.

—He traído a unas nuevas. Julia Córdoba, y María y Óscar Acosta. Déjanos pasar —dijo Marta y se volvió hacia nosotras—. No hay peligro. No temáis.

Había muchos hombres y una mujer en la habitación. A lo largo de las paredes había tres sofás viejos frente a dos televisores: uno gigante, que estaba apagado, y otro pequeño en blanco y negro que sí estaba funcionando. Un hombre, que estaba en el sofá de al lado de la ventana, tenía una armónica y, cuando cerraron la puerta y volvieron a echar la llave, empezó a tocar una canción de nuestra tierra.

Marta nos presentó a Alicia, una mujer pequeña de aproximadamente la edad de nuestra madre.

—Alicia os ayudará —dijo Marta—, y, con suerte, os encontrará trabajo —nos abrazó a todos contra su cuerpo suave y fofo—. No tengáis miedo de los hombres —dijo con su recia voz—. Son buenos y generalmente están fuera de casa trabajando.

—*Gracias* —susurré—. *Muchas gracias*.

—*Gracias*, Marta, por todo lo que ha hecho —repitió Julia—. La echaremos de menos.

—Venid a visitarme. Daremos una fiesta. Juro por Dios que a veces nos divertimos de verdad. Incluso aquí arriba con este maldito tiempo tan frío —nos sonrió expresivamente y se marchó del piso quedándonos solas con los demás.

Alicia suspiró, nos presentó a su marido y nos llevó del cuarto principal a otro más pequeño donde había un hombre sentado en un colchón en el suelo. Había otro colchón apoyado en una pared. La luz entraba en la habitación por una ventana con cortinas amarillas. Alineadas en el alféizar de la ventana había una planta con hojas rojas puntiagudas, que crecía en una lata de café, y dos rosas de plástico de color de rosa que resplandecían a la luz de la tarde. El hombre saludó con la cabeza y se puso de pie. Advertí que en un brazo tenía tatuado el nombre de una mujer, pero sobre el nombre había una raya, tatuada también, como si hubiese cambiado de idea.

—*Bienvenidos* —dijo, volvió a saludar con la cabeza, y

se marchó de la habitación. Al salir y cerrar la puerta vi dos pósters de cantantes de *rock* pegados con papel celo en la puerta. Un cartel, en el que cuidadosamente había escrito a mano HÉCTOR Y ROSA PARA SIEMPRE, colgaba de la pared de enfrente y al lado del cartel habían puesto una foto de revista de un niño sonriente maquillado como un payaso.

Alicia nos dijo:

—Haremos que este sea vuestro colchón y vuestro sitio —y empujó el pequeño colchón al suelo. Lo colocó debajo de la ventana y, con la ayuda de su marido, sujetó unas cortinas a una cuerda, que colgaba del techo y que dividía la habitación, como en un tendedero—. Así estaréis aisladas —añadió.

Nos volvió a llevar a través de la habitación principal al cuarto en que cocinaban. Nos explicó que la vieja cocina no funcionaba, pero tenían frigorífico. Y en una repisa había un hornillo con un puchero de sopa encima. El grifo tampoco marchaba y el agua la cogían de la bañera del cuarto de baño. Pero todo estaba limpio, en las paredes había clavadas ilustraciones de revistas y calendarios, y en una mesa había un puchero de manteca junto a una lata de café con otra planta.

La luz que entraba por las ventanas se iba debilitando. Alicia encendió las luces y luego nos dio *tortillas* de maíz y un bol de sopa para los tres. Miré por la ventana de la cocina y me quedé asombrada de lo arriba que estábamos, pero vi que había otros edificios incluso más altos. Las luces destelleaban de edificio en edificio y yo me preguntaba que cuántas personas habría escondidas. Yo estaba en la puerta de forma de arco que daba a la cocina comiéndome las *tortillas* y observando a los hombres del cuarto principal jugando a las cartas. El suelo de esta habitación se había descascarillado. Al lado del televisor en blanco y negro había un neumático nuevo cuidadosamente colocado, y yo pensé, ¿podrá alguien como nosotros tener coche? Un reloj de la forma del abanico de una bailarina mexicana estaba colgado en una pared. La esfera del reloj, que estaba centrada en el abanico dorado, era azul como el cielo y la rodeaba un jardín de flores. Una mariposa sujeta a la segunda manilla del reloj giraba entre las flores, como entre los lirios de nuestra tierra.

Cogí a Óscar y le llevé al reloj para que lo pudiese ver mejor, pero alargó la mano para tocar la mariposa y yo me eché hacia atrás. Entonces el hombre con el tatuaje dijo:

—Es de Alicia. Ella es la que mantiene en marcha este sitio.

Alicia no nos dirigió la vista ni nos dijo gran cosa cuando metimos los restos de nuestra comida en la nevera y nuestra ropa en el ropero. Luego le dimos las gracias por su ayuda, a los hombres les dimos las buenas noches, nos lavamos de nuevo los rasguños y cortaduras y nos fuimos a nuestro colchón.

Al fin teníamos un sitio nuestro. Óscar se quedó muy pronto dormido sobre el colchón y Julia se sentó a su lado con los ojos cerrados y las manos sobre el embarazado vientre. Yo me agaché a su lado en el suelo, con la espalda contra la pared, y me puse a escuchar la suave armónica.

Luego me empezaron a pesar los ojos y casi me quedé dormida pero, de repente, una sirena procedente de la calle resquebrajó el aire. Me puse de pie de un salto, con el corazón aporreándome y pensé: «los *Guardias*. ¡Han venido!». Julia también se puso de pie y Óscar empezó a llorar. Me acerqué al colchón y le atraje hacia mí. Él me echó los brazos alrededor del cuello y yo noté la presión de su carita mojada.

—María —lloriqueó—, ¡que viene el hombre de la sombra! —luego oímos la sirena alejarse después de haber pasado ante nosotros. Julia respiró profundamente y yo mecí a Óscar en mis brazos.

La luz de nuestra habitación se encendió y Alicia retiró la cortina.

—Le oí llorar —dijo, mirando a Óscar—. La policía pasa por aquí con bastante frecuencia. Hemos aprendido a no tener miedo —se santiguó—. Os he traído un calendario de Nuestra Señora, pues he pensado que podría daros paz. Ya hay un clavo en la pared para colgarlo.

Colocó el calendario donde lo pudiéramos ver. Reproducía la corona, la cara, los hombros y las manos de una estatua de la Virgen de una iglesia mexicana. La Virgen era algo diferente de la Virgen de nuestro pueblo, pero nos miraba con afectuosa preocupación y por el rostro, triste y suave, le caían unas lágrimas. Tenía los brazos hacia arriba, como en actitud de consuelo, y las tocas azules y blancas, la corona de oro y el vestido bordado reflejaban su belleza. Restaurante Mexicano de Alfredo, decía el calendario.

—*Gracias* —le dijimos a Alicia con respeto.

—Dejad la luz encendida esta noche, y otras noches, si lo precisáis —indicó Alicia—. Contribuirá a que no tengáis tanto miedo —yo dirigí la vista a la bombilla con alivio. La oscuridad me recordaba el cajón.

—Es usted muy amable, Alicia —dijo Julia con voz cansada.

Alicia movió la cabeza y desapareció detrás de la cortina.

Yo cambié de sitio a Óscar, que seguía gimoteando, y miré el calendario.

—Mira, Óscar, gorrión —dije—. Nuestra Señora está

aquí para mantenernos a salvo, casi como en la iglesia de nuestro pueblo —se volvió hacia el calendario y dejó de llorar. Yo sonreí—: Bien, Óscar. Ya está haciendo que te sientas mejor. Túmbate. Así puedes seguir viéndola.

Se tumbó en el colchón pero me miró a mí.

—Un cuento, María. Cuéntame un cuento, como *mamá* —me suplicó. Yo respiré hondo. No sabía si podría hacerlo después de todo lo que habíamos pasado.

—Si eres capaz —Julia me suplicó con la voz exhausta—, a lo mejor le calma.

Asentí con la cabeza y tragué saliva, pensando en las historias que *papá* nos contaba y que *mamá* continuó después de que le perdiéramos. Me arrecosté contra la pared.

—En un pueblo caliente con mil colores —empecé— vivía un gorrioncillo que amaba a un niñito —Óscar yacía de lado, con el carrillo apoyado en una mano y con los ojos fijos en la Virgen.

»El gorrioncillo iba donde estaba el niño cuando el sol se despertaba por la mañana, y se separaba de él cuando el sol plegaba sus ropajes y se acostaba para pasar la noche —tanto los ojos de Óscar como los de Julia se habían cerrado.

»Ahora bien, era un gorrión muy valiente, bendecido por la Virgen. No tenía miedo, ni de los hombres crueles ni de los soldados. La familia del niño vivía en una casa hecha de palos, entre mariposas y flores. Pero, en cierta ocasión, vinieron unos hombres malos, justo cuando se estaba poniendo el sol y después de que el gorrión hubiese vuelto al cielo. Así que sólo las estrellas vieron lo que pasaba —tragué saliva y me quedé callada unos segundos antes de continuar.

»Los hombres pisotearon las flores. Envenenaron a las mariposas y prendieron fuego a la casa de la familia.

A la luz del incendio los niños vieron derretirse los colores de su pueblo y luego volverse todo gris —Óscar estaba casi dormido, pero Julia tenía sus oscuros ojos abiertos y estaba escuchando el cuento. Yo estiré las piernas y seguí hablando.

»A la mañana siguiente, cuando el gorrión volvió con el sol, se encontró a la familia llorando. El gorrión susurró al padre: "Venid conmigo. Os guiaré y cuidaré de tus hijos."

»Y así la familia se puso en marcha. Subieron a las montañas y traspasaron las nieblas, y bajaron a los valles, allí abajo, donde los ríos les cantaban canciones y donde los helechos y las hierbas les servían de cama para dormir. Todas las noches interrumpían la caminata, y todas las noches esperaban que volviese el gorrión con el sol para que les guiase a la mañana siguiente.

»Finalmente, justo antes del anochecer, llegaron a un gran río. Había soldados acampados a ambas márgenes. La familia se agazapó entre la hierba, esperando la mañana y al gorrión. Pero, a mitad de la noche, los soldados, provistos de fusiles, vinieron en su busca y apresaron al padre y a la madre y se los llevaron. Los niños se quedaron solos en la oscura hierba y hasta las estrellas lloraban —me paré y miré a Óscar y a Julia. Los dos se habían dormido, pero seguí contándomelo a mí misma.

»Entonces el gorrión bajó del cielo de la noche. Traía luz y arcos iris de colores y se posó en el hombro del niñito. "No tengáis miedo —dijo el gorrión a los niños—. Ahora ya no os abandonaré nunca, ni siquiera para reunirme con el sol. Os mantendré a salvo; cuando estéis cansados me estiraré hasta que podáis descansar en mis alas y siempre que me necesitéis, os otorgaré bendiciones y os obsequiaré con colores." Cerré los ojos, me tumbé en el colchón y respiré hondo.

No me parece que soñé: me parece que fue un recuerdo lo que vi. Yo era muy pequeña y estaba en casa tumbada en el colchón en el suelo mirando a mi madre. Los carbones incandescentes del fuego de la cocina hacían resaltar sus bondadosas arrugas de la cara y sus recias manos mientras estaba arrodillada, pasando las cuentas del rosario que estaba rezando ante la imagen de Nuestra Señora.

—Santa María, llena eres de gracia. El Señor es contigo... —dijo. La luz de la vela que tenía delante pareció entrarle en los ojos y le desapareció el cansancio.

Yo la necesitaba y, estirando mis manos infantiles, susurré:

—*Mamá*.

Se volvió hacia mí.

—Pero, María, ¿estás despierta? —avancé a trompicones hacia ella, que me cogió en brazos y me abrazó. Olí su olor, el olor a madre, a café, a judías, a fuego de cocina, y ella me dijo—: *Mijita*, te voy a llevar fuera. Nuestra Señora está especialmente brillante esta noche.

Me sacó, me sentó en el suelo y se arrodilló a mi lado señalando las estrellas. Oía las cigarras y los pájaros nocturnos y olía a la flor del café y a la brisa. No había luna y las estrellas rielaban.

—Mira —dijo mamá—, mira esa banda de estrellas —miré y las estrellas se agolparon todas juntas—. Ese es el velo de Nuestra Señora —luego señaló otras estrellas más brillantes y añadió—: Y esas estrellas son su corona. Ella está siempre con nosotros, como las estrellas —me atrajo hacia ella—. Lo que yo creo, María, es que cuando muere uno de nuestros niños pequeños, el niño se convierte en estrella y se reúne con Nuestra Señora.

—¿Como Felipe y Celia? —pregunté.

—Sí, María. Allí está Felipe, allí está Celia, allí está

Luis, y Paco, y allí está el que no tiene nombre —señaló diferentes partes del firmamento y nombró a mis hermanas y hermanos muertos—. Están todos allí —dijo. Me volvió a llevar dentro de casa y me acarició la cara. Yo estaba contenta y me sentía protegida, así que cerré los ojos. Me pregunté que cuál estrella sería *papá*.

4

Estaba oscuro cuando me desperté, pero oí ruido y olía a café. Aún me dolía el cuerpo del viaje y lo tenía entumecido. Julia retiró la cortina y me indicó con la mano que fuese con ella. Dejamos a Óscar durmiendo y atravesamos el cuarto principal, donde todavía había algunos hombres dormidos en los sofás y en el suelo, y entramos en la cocina. Alicia estaba inclinada sobre el fogón batiendo *tortillas* sobre un hornillo; un puchero de café hervía en el otro. Yo aspiré a fondo los olores calientes y familiares del desayuno.

Alicia no levantó la vista cuando Julia me habló en voz baja.

—Alicia piensa que yo no debería ir contigo hoy. Vomité de nuevo durante la noche. Podría quedarme con Óscar y ella te llevará para ver si encuentras trabajo para el día. Le he dicho que tú solías utilizar la máquina de coser de nuestra vecina. —Julia señaló la ventana de la cocina—. Mira, está nevando.

Me volví asombrada hacia la ventana. Grandes copos

de nieve caían flotando del cielo. Abajo algunas luces brillaban débilmente y las farolas de la calle proyectaban círculos azules. Los coches y los camiones quedaban amortiguados. Julia se acercó a mí en la ventana y juntas contemplamos la nieve allá fuera. Luego yo me fijé en el cristal de la ventana.

—Mira, Julia —dije. El hielo había formado dibujos como de hojas y helechos—. Qué bonito. ¿Cómo sabía el hielo lo que nos iba a hacer felices?

Julia también tocó los dibujos.

—Es como las mantillas de encaje que las mujeres llevan para ir a la iglesia —susurró.

Alicia me dio una taza de café.

—Come deprisa. Tenemos un viaje largo —dijo—. Trataré de encontrarte trabajo conmigo, pero tenemos que irnos pronto para coger el *El*[1]. No creo que ni siquiera se den cuenta de tu edad —se santiguó y fue a ponerse el abrigo.

Julia me dio una *tortilla* caliente, me entregó el abrigo y me ató una bufanda bajo la barbilla.

—Siento que tengas que hacer esto, hermana. Esta noche escribiremos a *mamá* —me presionó su mejilla caliente contra la mía, vaciló, y luego se fue a hacer *tortillas* para los hombres.

Yo bajé las oscuras escaleras a toda prisa detrás de Alicia, que dijo:

—Hay bastante dinero para pagarte el viaje en el *El* durante varios días —el aire frío me sorprendió al traspasar la puerta y parpadeé al notar que los húmedos copos de nieve me rozaban las pestañas y me tocaban la cara.

---

[1]   Abreviatura con que familiarmente se designa en los Estados Unidos el ferrocarril elevado existente en muchas de sus ciudades grandes. *(N. de la T.)*

Cuando Alicia se detuvo para cruzar la calle, yo contemplé la manga de mi abrigo. En la tela de color vino había copos de nieve y frágiles pedacitos de hielo. Toqué uno asombrada por su belleza y se me derritió en el dedo. Me agaché, recogí un poco de nieve con las manos y me la metí en la boca. Me sobrecogió la frialdad y el sabor a polvo mezclado con la nieve. Alicia me agarró por el brazo y me hizo apresurarme.

Nos detuvimos en un andén bajo un pequeño tejadillo y Alicia se quedó quieta, con los ojos casi cerrados, la barbilla hundida en la bufanda y las manos desnudas metidas dentro de las mangas del abrigo. Los raíles del ferrocarril vacíos partían de donde estábamos y confluían a lo lejos, y de un edificio cubierto de hollín a otro colgaban unos cables. Todo parecía gris.

Yo me puse a pensar en las casas azules, amarillas y de color rosa de mi pueblo, recordé el sol abrasador y pensé en el gorrión de mi cuento. Imaginé que se me posaba en el hombro y que iluminaba todos los edificios con diferentes colores. Luego tirité. Aunque había cesado de caer nieve, un viento frío me azotaba el abrigo y la falda de algodón, y mi largo cabello se me salía de debajo de la bufanda y me batía el rostro.

Repentinamente, el suelo tembló y oí un chirrido que se precipitó sobre mí y se me estrelló en la cabeza. Cerré los ojos de golpe, levanté los brazos para protegerme la cara y noté que Alicia tiraba de mí.

—¡Vamos! Es el *El*. ¡Súbete! —me ordenó. Avancé a trompicones con ella y miré a mi alrededor. Habíamos subido a un coche de tren y estábamos apretujadas contra otras personas. Una puerta se cerró de golpe detrás de nosotras y nos pusimos en movimiento a más velocidad de la que yo había experimentado jamás. Me agarré a una barra de metal balanceándome con el movimiento, luego miré a una joven rubia que estaba de pie a mi lado. Tenía los ojos perfilados de color azul fuerte y me sonrió con una boca pintada de rojo. Yo le devolví la sonrisa antes de bajar la vista preguntándome que qué pensaría de lo morena que yo era.

El *El* se detuvo y arrancó múltiples veces y yo observaba a Alicia. Su cabello lacio le colgaba por la espalda, por debajo de la bufanda y su rostro, como el de mi madre, parecía estar inflamado por la edad y el cansancio. Las líneas de sus cejas, también como las de mi madre, casi tocaban las ojeras bajo sus ojos. Llevaba unos zapatos de tenis mojados, sin calcetines, y por las pálidas piernas le corrían unas venas azul claro. Finalmente me hizo una seña con la cabeza.

—La próxima vez, nos toca bajarnos.

Me hizo apearme del *El* y recorrimos varias manzanas flanquedas por edificios medio derruidos y con las ventanas rotas. Había un solar sin edificar donde no había más que maderos chamuscados y trastos viejos. Pensé en el basurero de mi tierra donde los *Guardias* dejaban los cadáveres. Entonces Alicia me dijo:

—Es ahí dentro —se volvió a santiguar—. Trata de hacer como si no tuvieses miedo.

La seguí, entramos por una puerta oscura y subimos unas escaleras. En lo alto, ante una puerta parcialmente abierta, había un hombre de pelo blanco que nos espetó en español:

—Llegas tarde. Y esa ¿cuántos años tiene?

Alicia empezó a decir:

—Mi hija —pero él fue hacia mí, me agarró por el abrigo y me atrajo hacia él.

Me acordé del hombre que nos había encerrado en el cajón y apreté el puño.

—Dieciocho —contesté.

Me retuvo tan cerca que pude olerle el aliento.

—Comprobaré su tarjeta más tarde —dijo, y me empujó hacia una habitación.

La habitación estaba repleta de mujeres, máquinas de coser y ropa amontonada en unas tarimas. Cada mujer estaba sentada a una pequeña mesa moviendo la tela frenéticamente con las manos bajo la máquina, por lo que la habitación zumbaba con el ruido de coser. Alicia se apresuró a un sitio vacío, me hizo un gesto para que me sentase a la mesa de al lado y muy quedamente me enseñó a manejar la máquina. El hombre vino hacia nosotras y se quedó delante de mí. Alicia levantó la vista hacia él y luego volvió los ojos hacia la mesa. Cogió un montón de ropa y dijo:

—Fíjate en mí.

—*Gracias* —susurré.

Al poco rato ya cosía las costuras derechas, pero sentía el sudor en la frente mientras el hombre del pelo blanco se paseaba de un lado a otro. Tenía calambres en las manos y me dolía el cuello pero, cuando el hombre estaba al otro lado de la nave, yo miraba a las otras mujeres. Eran en su mayoría hispanas, como Alicia y yo, pero había algunas con los ojos rasgados. Todas miraban fijamente su labor.

El tiempo pasaba y yo trabajaba sin interrupción en la máquina, pero empecé a pensar si tendría fiebre. Me ardían las mejillas y mi mente divagaba hasta llegar a pensar que oía voces amortiguadas procedentes de un cajón. De repente, una gota de agua fría me cayó en la cara. Parpadeé y seguí con mi trabajo. Luego, otra gota me dio en una mejilla. Eché la cabeza hacia atrás y miré al alto techo. Las bombillas desnudas colgaban de unos cables, el yeso estaba agrietado y rezumaba agua, por lo que encima de mí había manchas de humedad. Las gotas de agua se filtraban a una de las grietas que tenía encima y entonces, una a una, me iban cayendo en el rostro caliente.

—*Gracias* —le dije a Nuestra Señora.

El hombre nos hizo interrumpir el trabajo a la mitad de la jornada.

—Descanso —dijo con el ceño fruncido, las cejas tirantes, mientras salía por la puerta. Yo me volví nerviosa. Alicia se encogió de hombros.

—Es la hora de comer —añadió Alicia, entregándome algo de comida que había llevado y sonriendo ligeramente. Luego se reunió con un grupo de mujeres que ya estaban riendo y charlando.

Yo me comí las judías frías y las *tortillas* a rápidos mordiscos para satisfacer el hambre, y me fijé en un grupo de mujeres de aspecto satisfecho que hablaban rápidamente en una lengua que yo no había oído nunca. Entonces oí un movimiento a mi lado. Una hispana, no mucho mayor que yo, arrimó su silla a la mía. Sonrió y me dijo:

—¿Eres nueva aquí, verdad? —yo asentí con la cabeza.

—Yo vine hace un mes. Qué diferente es todo. ¡*Ave María Purísima*, qué frío hace! No es un tiempo adecuado para Navidad —se echó a reír y empezó a pelar una naranja—. Pero hay más que comer que en casa.

La observé mientras separaba la gruesa cáscara de la fruta. El jugo le corría como la luz por las manos. Pensé en la cadena de Julia.

—¿Quieres la mitad? —me preguntó levantando las cejas. Yo dije que no con la cabeza cortésmente.

—Sí, cógela —sonrió y me la dio.

Bajé los ojos.

—*Gracias* —dije, mientras separaba un gajo y lo mordía. La dulzura y la humedad eran tan refrescantes como el agua de un manantial al que se llega después de haber caminado medio día por las montañas. Cuando yo le sonreí, agitó la cabeza y se quitó un jersey oscuro. La blusa que llevaba debajo era amarilla y rosa fuerte.

—Me llamo Isabel —dijo, mientras se ataba una cinta amarilla en el pelo. Entonces el hombre volvió a entrar en la nave y ella hizo una mueca. Yo me reí entre dientes mientras volvía a mi trabajo, pero ese día ya no volví a ver a Isabel.

El *El* vibraba mientras nos precipitaba a Alicia y a mí a casa esa noche, y el aire frío se colaba por las ventanas y subía por el suelo. Yo me tambaleaba de extenuación en el asiento. Alicia me miró durante un rato, luego me susurró:

—Recuéstate en mí, María. Eso te calentará.

Su cara tenía aspecto bondadoso, así que me recliné en ella con los ojos entornados mirando por la ventanilla. En la lejanía se veían luces, que me recordaron las moscas de fuego de mi país, y hasta oí las aves nocturnas de nuestro pueblo. Isabel me había recordado a una amiga del colegio que había perdido, Alicia me recordaba a mi madre, y la nostalgia se hizo tan intensa que me puse a temblar. Alicia me rodeó con un brazo y me apretó contra ella.

—Has perdido tanto —susurró—, y yo también. He perdido a una hija y a un hijo de más o menos tu edad. Si he resultado poco amable, esa es la razón. Me duele mirarte.

Me volví y miré fijamente a Alicia, oyendo los gritos y oliendo a sangre. Alicia se santiguó y se pasó el revés de la mano por los ojos.

—Como *papá* y Ramón —dije—. Lo siento, Alicia.

Permaneció sentada sin moverse, con los ojos bajos, hasta que las dos mujeres que teníamos al lado se apearon del tren. Después de que se hubieron ido, se volvió hacia mí y me dijo:

—Puedes contármelo, si quieres. Lo que pasó, y hablarme de tu madre y de tu hermanita.

—No sé si voy a poder. Julia y *mamá* han hablado con algunos amigos de México, pero yo no se lo he contado nunca a nadie —susurré.

—Lo comprendo —tenía unos ojos muy dulces—. No hables de ello a no ser que te apetezca.

Permanecí silenciosa un poco más. Finalmente, empecé:

—No recuerdo mucho. Ocurrió de noche. Los *Guardias* irrumpieron en nuestra casa y mataron a *papá* y a Ramón, el marido de Julia. Pero lo de la mañana siguiente sí lo recuerdo. *Papá* y Ramón habían muerto, y Julia no estaba —me temblaban las manos—. La encontramos en el barranco, más allá del basurero, con los otros cadáveres. La habían ultrajado de muy mala manera, pero estaba viva.

Miré a Alicia a través de mis lágrimas.

—A veces me despierto por la noche gritando porque lo recuerdo —paré de hablar durante un momento. Alicia movió la cabeza con lágrimas en los ojos.

»Después de encontrar a Julia, mi madre dijo que nos teníamos que marchar. Si no lo hacíamos, nos matarían, incluso a Óscar y a Teresa, porque mi padre había trabajado con el maestro para conseguir la escuela —bajé la voz—. Fue tan horrible, tuvimos que pasar por encima de los cadáveres.

Alicia asintió con la cabeza.

—Lo sé. Que Dios proteja vuestras almas.

—Así que cruzamos las montañas andando, hacia el norte, para entrar en Guatemala. Pero allí también había peligro porque los soldados estaban matando a los indios. —Me quedé quieta, luego añadí—: Los indios llevaban unos trajes tan bonitos, como los colores del arco iris.

—Lo sé —dijo Alicia.

—Buena parte del tiempo no comíamos, pero a veces había gente que nos daba algo de comer. Un par de veces conseguimos trabajo. Pero, Alicia —se me quebró la voz—, Julia se puso enferma y pensó que a lo mejor estaba embarazada. Luego se le empezó a abultar el vientre. Lloraba, lloraba, y se ponía las manos sobre la tripa. «Es de Ramón, de Ramón —decía—, que no sea de los *Guardias*. *Mamá* y yo apenas podíamos soportarlo. Sufríamos tanto.» Alicia me abrazó.

»Caminamos durante muchos meses por México antes de conseguir que nos llevasen a Monterrey —continué—. Julia encontró trabajo en una fábrica textil durante algún tiempo y yo hacía la limpieza en casas de gente rica, y nos instalamos en una chabola cerca de otros salvadoreños. Pero seguíamos sin alimentarnos bastante. Teresa, mi hermana pequeña, estaba enferma de parásitos y de unas fiebres, pero Óscar estaba bien, únicamente algo delgado —Alicia movió la cabeza de acá para allá.

»Pero unos policías mexicanos encontraron a nuestros amigos y, como nuestros amigos no pudieron sobornarles, los mexicanos los devolvieron a El Salvador —me miré las manos—. Nos matarán si volvemos a casa. La guerra continúa.

El *El* se paró en una estación y se subió gente en el otro extremo. Permanecimos en silencio y yo recordé a mi padre la última vez que le vi antes de que llegasen los

Guardias. Me había arrodillado en la tierra, en la parte de atrás de la casa, y le escribía palabras con un palo. El sol en el cielo estaba rojo como una herida al empezar a caer la tarde. Mi padre se sentó en el suelo, apoyando la espalda en la pared y dijo:

—Sabes leer y escribir y tienes talento de artista. Eso no te lo pueden quitar.

Papá había cerrado los ojos y ladeó la cara hacia el viento.

—Ven y siéntate conmigo —dijo sin abrir los ojos. Yo me fui a su lado—. Tú salvarás a la familia —añadió muy bajito. No dije nada, pero olí en él los campos de caña de azúcar donde había estado trabajando ese día. Las campanas de la iglesia anunciaron la llegada de la noche y las *chachalacas*[2] se pusieron a cantar en la oscuridad.

—No hago más que pensar en papá, que dijo que yo iba a salvar a la familia, Alicia —dije—. Y no sé si voy a poder. Me puse a llorar apoyándome en ella con los ojos tan llenos de lágrimas que no veía las luces.

Alicia me acarició la frente.

—A veces el hablar ayuda, María —dijo—. ¿Quieres contarme más?

Dije que sí con la cabeza.

—No quiero contar a Julia lo mal que me siento; ella ya sufre mucho. Pero hay veces que me parece que voy a estallar por dentro.

—Lo sé —dijo Alicia y me hizo la señal de la cruz en la frente.

—Una de las mexicanas de Monterrey nos ayudó. Ella es la que leerá las cartas que escribamos a mamá. Había

---

[2] Especie de gallina de México, sin cresta ni barbas, de carne delicada y sabrosa. *(N. de la T.)*

oído decir que había gente que iba al norte en cajones —me atraganté en la última palabra—. Como teníamos suficiente dinero para pagar por tres, y aún quedaría algo para alguna medicina de Teresa, *mamá* dijo que deberíamos marcharnos. Teresa estaba demasiado enferma para hacerlo y *mamá* dijo: «Coged a Óscar y marchaos. Es nuestra única oportunidad. Vuestro padre lo habría deseado». Cuando Teresa esté mejor, y tengamos dinero para un *coyote*, vendrán al norte a reunirse con nosotros. Así que partimos. *Mamá* nos acompañó hasta el río y lloró cuando nos despedimos.

Alicia me retuvo contra ella, pero yo me aparté, pues sentía la apremiante necesidad de contarle todo.

—Esperamos junto al río antes de coger las balsas. Yo oía las ranas y veía las sombras de las otras personas. Las estrellas brillaban, Alicia, como el manto de la Virgen. Lo último que *mamá* me dijo fue: «Cuida de Óscar y trata de ayudar a Julia con el niño. Tú eres la que sabes leer y escribir. *Papá* creía en ti.»

Me puse la cara entre las manos y las lágrimas se me desbordaron entre los dedos.

—Tuvimos que arrancar a Óscar de *mamá* —dije.

Alicia y yo permanecimos en silencio mientras el *El* se balanceaba al avanzar. Finalmente dije muy quedamente:

—Alicia, allá en nuestra tierra, oí susurrar a los aldeanos que los *norteamericanos*, la gente de aquí, habían ayudado a nuestros jefes a que nos hicieran daño, que las armas que usaban procedían de los Estados Unidos. ¿Cree usted eso?

—Yo también lo he oído. No lo sé, María. No lo sé. Es todo tan difícil de creer. Es tan terrible.

Cuando llegamos a casa, Óscar ya estaba dormido y Julia tenía varias hojas de papel y un lápiz. Escribimos a *mamá* para contarle que estábamos vivos y que yo tenía trabajo. Luego dibujé un lirio en el borde de la carta. Me dormí con el lápiz en la mano y soñé que estaba en casa, bajo el amate, dibujando flores mientras Alicia iba de visitas con *mamá*. Mientras hablaban, en mi sueño, se oía el arrullo de una paloma en la lejanía.

El dolor que sentía en el pecho me había mejorado un poco después de haber hablado a Alicia, y ella y yo seguimos trabajando juntas durante muchos días, yendo y viniendo del taller en el *El*. Con frecuencia hablaba brevemente con Isabel a la hora de la comida, mientras las otras mujeres reían y charlaban. Un día le llevé a Isabel un dibujo que había hecho con pájaros y flores de nuestro país y al verlo los ojos se le iluminaron.

Esa misma noche recibimos la primera carta de *mamá*. Su amiga Beatriz se la había transcrito pero las palabras eran suyas. «Hijos míos —decía—, no puedo expresaros lo agradecida que estoy de que estéis sanos y salvos. Dios ha respondido a mis plegarias. Pienso en vosotros todo el tiempo y miro a vuestra hermana pequeña y en ella os veo a cada uno. Teresa tiene tu colorido, Julia, y tu cara, María, y se tiene y se mueve como tú, Óscar, hijo mío. Sois todos muy valientes y vuestro padre estaría muy orgulloso de vosotros. Tened fuerzas, hijos míos. Sé que hay esperanza para todos nosotros. *Mamá*.» Al final de la página, *mamá* había dibujado una carita para Óscar y el papel me resultaba cálido en la mano cuando se lo entregué.

Julia me miró a los ojos.

—Gracias a Dios que aprendiste a leer y escribir —dijo.

Julia se colocó unos días después para fregar platos.

Óscar se quedaba solo en el piso mientras estábamos en el trabajo y veía la televisión. A veces miraba por la ventana o jugaba con unas piedrecitas que yo le había llevado. Por la noche, cuando volvía a casa, le cogía en alto para que contemplase el reloj con la mariposa que daba vueltas entre las flores. También le contaba cuentos y Julia le cantaba canciones. El hombre con el tatuaje tachado dormía en nuestra misma habitación, pero no nos molestaba. Con frecuencia yo me sentaba con la espalda contra la pared mientras Óscar se dormía, y a veces me intrigaba la pequeña inscripción que decía: HÉCTOR Y ROSA PARA SIEMPRE. ¿Quiénes serían? Pensaba. ¿Qué les habría ocurrido? ¿Me sentiría yo alguna vez así? También contemplaba los pósters de los cantantes de *rock* y trataba de imaginarme cómo sería el estar en un concierto. Luego rezaba una pequeña oración al calendario con la Virgen.

Por fin me pagaron y volvimos a escribir a *mamá* y arreglamos con Alicia el enviarle dinero. Esa noche llegó un hombre con una guitarra para tocar con el hombre de la armónica. Los otros hombres empezaron a cantar con ellos en la habitación principal y Julia, Óscar y yo nos quedamos en la puerta escuchándoles. Era una música alegre, de nuestro país, y Julia se puso a cantar con ellos. Pero, uno a uno, los hombres fueron dejando de cantar volviéndose hacia ella para escuchar su voz. Julia cerró los ojos, juntó las manos y empezó a balancearse con el ritmo, sonriendo mientras cantaba. Los hombres aplaudieron cuando terminó la canción y Julia abrió los ojos y se sonrojó.

—Más, canta más —dijo el que tocaba la guitarra mientras los otros le secundaban. Julia bajó la vista una vez con timidez, luego la levantó y empezó a tararear primero, luego a cantar, con su clara voz, las estrofas de una canción que *papá* nos había enseñado después de haber estado de viaje en busca de trabajo.

> *Bellas son estas montañas*
> *que se elevan hacia el cielo.*
> *Deja reunirse al rebaño*
> *que ya llegó la mañana con su destello.*

De nuevo aplaudimos y luego cantamos todos juntos otras alegres canciones, quebrando con las recias cuerdas de la guitarra el tono grisáceo de Chicago, hasta que me entraron ganas de bailar. Incluso Óscar estaba alegre. Y yo esa noche me dormí sintiéndome feliz y orgullosa del dinero que había ganado para todos nosotros. Sabía que tenía la bendición de mi padre.

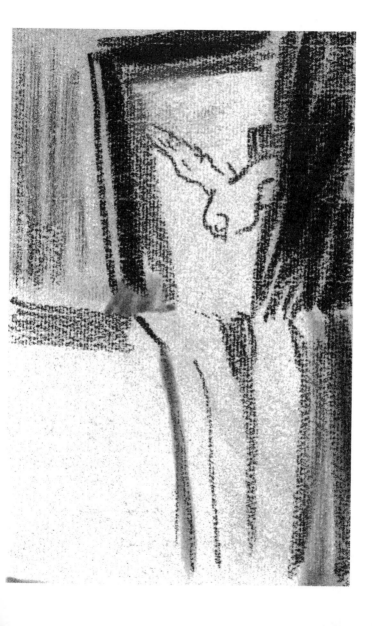

5

Alicia y yo trabajábamos desde que amanecía hasta que anochecía y apenas veíamos la luz del día. En varias ocasiones oímos las sirenas. Alicia siempre se santiguaba cuando eso ocurría y yo veía a las otras mujeres detenerse en el trabajo. Sabía que ellas también habían venido clandestinamente y que también tenían miedo.

Una mañana miré a Isabel mientras estaba trabajando y vi que le resbalaban las lágrimas por las mejillas. Cuando nos paramos para comer, fui hacia ella y le pregunté que qué le había sucedido. «Mi tía —dijo llorando—. La Inmigración. Se puso realmente muy enferma y al ir al hospital alguien la entregó a la policía.» Abracé a Isabel y temblé de miedo. Isabel no volvió a llorar, pero después de ese día parecía mayor.

Con frecuencia, mientras estaba cosiendo a máquina, el hombre del pelo blanco se me colocaba detrás y me ponía las manos en los hombros. En esos momentos la cara me ardía y los hombros me dolían de la presión de sus manos. Alicia miraba hacia donde yo estaba y le decía que yo era su hija, pero él continuaba. A veces me corrían por la cara lágrimas de vergüenza. ¿Por qué me hace a mí eso?, pensaba yo. Soy morena. Hay otras de piel más clara. Me preguntaba si sería por la forma en que me movía o me sentaba, y la vergüenza se hacía más profunda.

Después del trabajo veía que otras mujeres me miraban con compasión, mientras que Isabel me apretaba la mano. Advertí entonces que ésta ya no iba vestida de colorines fuertes y que llevaba sencillamente un conjunto gris y marrón. Una noche, mientras íbamos hacia el *El,* Alicia me dijo:

—Creo que no vas a estar segura en el trabajo por mucho tiempo. Me parece que te va a hacer realmente algo malo.

—¿Cree que si aprendiese más inglés podría encontrar otro empleo? —pregunté con el corazón acongojado.

—A lo mejor, si Dios quiere.

—¿Quién podría enseñarme?

—No sé, déjame que piense —me cogió del brazo mientras avanzábamos por la oscura calle a toda prisa.

Al día siguiente era sábado y Alicia y yo teníamos que ir al trabajo. Al despertarme olía a café. Julia ya se había ido al restaurante a pasar el día, Alicia estaba sentada en una silla junto a la cocina y Óscar estaba de pie al lado de la ventana con el peso del cuerpo sobre el pie derecho y el dedo gordo del izquierdo, mientras contemplaba la calle. Me miró y yo fui hacia él, pestañeando a causa del sol, que era casi tan intenso como en nuestra tierra durante la estación seca.

—Óscar, gorrión, hoy me voy a quedar contigo y te voy a sacar a la calle para que te dé el sol. Y podremos contemplar todas las cosas que tienen los ricos aquí en el norte —me miró a los ojos y sonrió.

—No hay nada que comer esta mañana, María —me dijo Alicia—. No hay más que un poco de café. Además, he vuelto a pensar sobre el peligro que corres en el trabajo. Es una buena idea que aprendas más inglés. Creo que deberías ir a casa de Marta a ver si hay alguien allí que pueda enseñarte. Pero seguramente tendrás que seguir trabajando conmigo aún durante algún tiempo. Pensé en el hombre del pelo blanco y temblé de miedo y de vergüenza. Alicia se me acercó, me pasó un brazo por los hombros y añadió—: Coge a Óscar y sal a tomar el sol, María. Eres joven y tienes que distraerte. Creo que tendremos algo para comer por la tarde.

—*Gracias* —contesté—. Me ha ayudado tanto, como si fuese mi madre.

Sin hacer caso del hambre que tenía, vestí a Óscar con ropa de invierno y le bajé las escaleras, pasando por los otros pisos, hasta la puerta de la calle. El niñito rubio nos miró desde el piso del portero, y salimos a toda prisa. Hacía sol y sus rayos se reflejaban en la nieve.

Agarré a Óscar de la mano con fuerza y fuimos calle abajo olvidándonos de nuestros pesares y observando a la gente, los edificios y los coches. Yo leía los anuncios que estaban en español. ¿TIENES UN PROBLEMA? PRUEBA CON JESÚS. ÉL TE AMA, estaba escrito en un banco que había en una parada de autobuses. EL PARTIDO DE LA GENTE UNIDA, anunciaba una pancarta que colgaba de una ventana. ¡GRACIAS POR MANTENER LIMPIO EL BARRIO!, se decía en un gran tablón cuidadosamente clavado en un edificio recubierto de madera. AQUÍ SE HABLA PUERTORRIQUEÑO, declaraban varios comercios. Había carteles en inglés por todas partes y la gente iba bien vestida y llevaba muchos paquetes. Yo me preguntaba si es que no había niños pidiendo sencillamente porque hacía demasiado frío.

Al lado de un alegre edificio, que tenía un anuncio con una gran M amarilla, había muchos coches aparcados. Entramos. La gente se agolpaba ante un mostrador rojo mientras que unas cuantas chicas se afanaban detrás y entregaban cosas de comer en bolsas de papel blanco. El estómago se me retorcía ante el olor a comida y contemplé a una chica, de más o menos mi edad y color, con su niño, que llevaba una bolsa de comida a una mesa. El niño tenía puesto un traje azul fuerte, del color de nuestro cielo, y golpeaba la mesa con sus manitas regordetas mientras ella desenvolvía los comestibles. Yo me pregunté entonces cuánto habría crecido Teresa desde que la vimos la última vez.

De repente vi a un guardia comiendo en un rincón. El corazón me empezó a retumbar en los oídos, entonces agarré a Óscar de la mano y le arrastré al otro lado de la calle sin ni siquiera prestar atención a los coches. Luego seguí corriendo a lo largo de la manzana y di la vuelta a la esquina tirando de Óscar. Por fin me paré y, al agacharme para coger aliento, me di cuenta de que Óscar estaba llorando a mares.

—El hombre de la sombra, el hombre de la sombra —sollozaba agarrándose a mí, pero me aparté de él para echar una ojeada del otro lado de la esquina.

No vi a ningún policía y, poco a poco, me fui tranquilizando. Como el llanto de Óscar se transformó en gemidos, le sequé la cara con mi bufanda.

—Estamos bien, Óscar —le dije sonriendo—. La policía no nos ha seguido. Vamos a pasear un poco más antes de ir a casa de Marta.

Avanzamos despacio, mirando los escaparates de las tiendas, y llegamos a un sitio donde había un caballo de plástico rojo y naranja del tamaño de un niño ante una tienda de juguetes. Óscar salió corriendo y agarró la silla. Yo miré alrededor nerviosa, pero nadie parecía prestarnos la menor atención, así que le subí al caballo.

—Ala —gritó, golpeando el cuello del animal y rebotando de arriba abajo mientras yo le sonreía. Finalmente le dije:

—Óscar, vamos a entrar.

Hacía calor y se oía música. Del techo colgaban enormes animales marinos de plástico, peces con dientes y tortugas marrones y verdes, inflados como globos. Había estantes de muñecas y animales de peluche a lo largo de toda una nave, y otra nave estaba llena de armas de juguete. Yo me estremecí al ver una ametralladora.

—Mira —dijo Óscar acercándose a un gran monstruo de plástico. Tenía una gran cabeza de serpiente verde, enormes músculos en un cuerpo de aspecto humano, unas manos que parecía como si quisiesen cogerte y unas patas como garras de lagarto.

—Uy, no me gusta —exclamé.

Un payaso con una sonrisa pintada de rojo salió de una habitación trasera y empezó a inflar globos para los niños. Una mujer compró un globo morado claro para una niña pequeña y se lo ató a la mano. A Óscar le chispeaban los ojos al contemplar el globo con la boca abierta. Yo recordé cómo solía andar alrededor de casa, descalzo en el polvo, seguido de nuestro perro de color pardo, con los ojos resplandecientes, mientras tocaba su pito nuevo de barro. Me agaché para mirarle directamente a los ojos.

—Óscar —le dije—, algún día te compraré un globo. Te lo prometo. —Me sonrió agradecido.

Cuando nos marchábamos vi un paquete de bolígrafos grandes de todos los colores del arco iris. Me quedé mirándolos; entonces Óscar me dio un tirón y me di cuenta de que había una mujer a nuestro lado. Agarré a Óscar y di un paso hacia atrás, pero la mujer sonrió diciéndome algo en inglés mientras cogía uno de los bolígrafos y de un solo trazo pintaba una ancha franja de color rosa fuerte a través de un anuncio de cartón. Miré fijamente el color. Luego la mujer me dijo otras palabras en inglés, pero yo aparté los ojos del color y, con Óscar apretujado contra mí, retrocedí.

—*Gracias* —dije—, *gracias* —y salí por la puerta tirando de Óscar.

EL PALACIO DE LA MODA FEMENINA, decía el anuncio de la puerta de al lado, que tenía el escaparate lleno de trajes de novia, todos blancos, con volantes y encajes. Fui hacia el escaparate y me quedé mirando. No sabía que la gente podía ser tan rica. El día de su boda, Julia llevaba un vestido blanco y flores en el pelo, y hubo música de violín, de guitarra y de *marimba*[1] en el baile de la boda y olía a las flores de color de rosa del café y al *gallo en chicha*[2].

—Ahora tenemos que ir a casa de Marta —dije a Óscar. Sentía otra vez el cuerpo transido de hambre, como me ocurría siempre que no había nada que comer por la mañana. Añoraba las *pepescas,* que son los pescaditos fritos que comíamos en casa.

Olía a chiles y se oían voces de hombre cuando llamé a la puerta de Marta. Un desconocido la abrió un poco, y yo bajé la vista evitando su mirada.

—He venido a hablar con Marta, por favor —expliqué—. Entonces la abrió del todo y entramos. Vi los

---

[1] Especie de tambor como el que usan los negros de África. *(N. de la T.)*

[2] La chicha es una bebida alcohólica que resulta de la fermentación del maíz en agua azucarada. Por tanto, aquí se trata de un gallo guisado en esa bebida. *(N. de la T.)*

colores del cuarto principal de Marta, tan alegre, el cuarto donde habíamos estado cuando llegamos, con la cruz de flores de plástico, el cartel de la pelirroja y el San Antonio encima del televisor. Las niñas de Marta se reían en otra habitación, y Tomás vino cojeando hacia mí. Al vernos sonrió.

—¿Está Marta? —pregunté sin mirarle a los ojos.

—En la cocina —contestó, con su voz suave y clara—. Verónica cumple hoy tres años. Estamos celebrando una fiesta de cumpleaños.

—Oh —respondí permaneciendo de pie sin moverme.

—Pasad —dijo—, me alegro que hayáis venido.

Marta estaba en la cocina tratando de encender una cerilla al mismo tiempo que impedía que su hija pequeña se subiese a la mesa. Su hija mayor, que estaba sentada en una silla, se chupaba el merengue de los dedos mientras contemplaba una pequeña tarta blanca con tres velas chiquititas.

—María, Óscar —dijo Marta alegremente, con sus acogedores y sonrientes ojos de color castaño—. En qué buen momento habéis venido a reuniros con nosotros.

—Estamos celebrando una fiesta a la americana en toda regla —dijo Tomás—. Hasta con velas —le miré. Él me estaba contemplando con sus azules ojos. Óscar se agarró a la mesa y miró fijamente la tarta. Teníamos mucha hambre.

—Trata de cantar con nosotros en inglés —dijo Marta, mientras levantaba a su hija pequeña, que se retorcía, con el brazo izquierdo, y conseguía encender las velas con la otra mano.

Las velas resplandecieron, dos hombres se reunieron con nosotros en la cocina y todos se pusieron a cantar en inglés. Yo sonreí y reconocí la canción. La carita de tres años sonreía satisfecha mientras todos cantaban «Ve-ró-ni-ca...», alargando su nombre.

—Ahora sopla fuerte —dijo Marta en español cuando acabó la canción. Verónica se puso de pie en la silla y se inclinó sobre la mesa poniendo las manos llenas de hoyuelos a cada lado de la tarta. El resplandor de las velas le iluminaban la cara redonda, entonces respiró a fondo y sopló con fuerza en todas las direcciones con los labios balbucientes. Las velas vacilaron, luego siguieron encendidas.

—Hazlo otra vez —indicó Tomás, y Verónica sopló por toda la mesa.

—¡Otra vez! —gritó Tomás y, al soplar la niña, él sopló también. Las llamas se apagaron y todos rieron y aplaudieron. La cara de Verónica rebosaba de satisfacción. A Óscar le brillaban los ojos y tenía la boca abierta sonriente.

La niña pequeña estaba encima de la mesa a punto de meter una mano en la tarta cuando Marta la levantó y la sentó con firmeza en una silla.

—Toma —dijo cortando rápidamente un pedazo de tarta y entregándoselo a la pequeña. La niñita se lo comió con las dos manos llenándose la cara de merengue. Yo sonreí acordándome de Teresa, mi hermana pequeña, y Marta se quedó rezagada con las manos en sus amplias caderas observando a sus hijas.

—Bueno, yo tampoco fui nunca un modelo de tranquilidad y silencio cuando era pequeña —le hizo un guiño a Tomás y se echó a reír—. Eso no es cosa de familia, ¿verdad, Tomás?

—¿Qué puedo decir? —contestó riéndose. Le miré rápidamente. Él me miró abiertamente y sonrió. Arqueó las cejas, se alzó de hombros y con las manos hizo un gesto hacia arriba.

—Tomaréis un poco de tarta con nosotros, María —me dijo Marta—. Pero, primero, un pedazo para la niña del cumpleaños, luego para ti, Óscar —le dio a Óscar un pedazo de tarta en una servilleta de papel y él se lo comió con voracidad.

—*Gracias* —dije en nombre de Óscar.

Marta cortó otros pedazos sonriendo a Verónica, que estaba maniobrando con un tenedor grande.

—Mi hermana, la madre de Tomás, quería que se hiciese sacerdote —me contó Marta—. Le envió al seminario cuando tenía once años. Pero se escapó —miró a Tomás cariñosamente—. Vivió en la playa durante algún tiempo y volvió a casa tan escuálido que casi no le reconocimos.

—Pero con dinero, Marta. Con dinero —Tomás se echó a reír.

—Ya lo creo, es un genio cuando se trata de encontrar trabajo —dijo Marta con orgullo. Luego se puso a mirar a Óscar mientras comía—. Óscar parece que tiene hambre —añadió—. ¿Habéis comido vosotros dos?

Tragué saliva.

—Sí, yo sí. Pero Óscar no.

—Tomás —dijo Marta—, cuando hayas terminado de comer, dale al niño un pedazo de pan y caliéntale un poco de leche.

—Toma, María —sonrió y me dio un pedazo de tarta—. Para nosotras voy a hacer café —traté de no comer demasiado deprisa, pero el dulzor de lo que tomaba me llenaba la boca y me calentaba hasta el pecho. Los dos hombres cogieron su tarta y se marcharon del cuarto.

—El niño tiene mejor aspecto —me dijo Marta yendo hacia el fogón.

—Sí, mucho mejor, pero todavía está muy parado.

—¿Y tú tienes trabajo? —preguntó Marta—. ¿Y Julia?

Asentí con la cabeza, pensando en el hombre del pelo blanco.

—Sí, con Alicia. Y Julia está fregando platos.

—Eso está bien. Dios ha ayudado —replicó Marta sirviendo el café y dándome una taza. Luego se sacó el pañuelo de la blusa y se secó la amplia frente mientras Tomás les daba pan y leche caliente a Óscar y a las niñas. Después, Tomás se apoyó en la pared con su café, como si estuviese esperando.

Yo tenía la mano libre colgando a un lado y me sentía incómoda. No había esperado hablar delante de Tomás. Las niñas terminaron de comer y se bajaron de las sillas. Marta dio a la más pequeña una botella con agua y salieron corriendo del cuarto camino de la televisión.

Me aclaré la voz.

—Alicia piensa que tengo que aprender a hablar inglés: no cree que el trabajo al que voy con ella vaya a durar mucho —me preguntaba si Marta y Tomás podrían averiguar con mirarme lo que el hombre del pelo blanco estaba haciendo—. Alicia me dijo que a lo mejor usted sabía de alguien que pudiese enseñarme —le dije a Marta.

Sacando una bufanda roja de su bolso, se recogió el cabello.

—Tomás es la única persona que se me ocurre, él y doña Elena, la comadrona. Yo no sé mucho, y me parece que no deberíamos pedírselo a doña Elena. Está demasiado ocupada —se quedó como pensando, luego se arrepanchigó en la silla y añadió—: Alicia, sabes, tiene razón. O tú o Julia tenéis que aprender. Este no es desde luego un país de pájaros y flores. Y sobre todo no lo es para dos chicas guapas como vosotras. Especialmente sin nadie para protegeros.

Noté que se me sonrojaba el cuerpo entero. Marta no pareció advertirlo.

—Qué te parece, Tomás? —dijo volviéndose hacia él—. ¿Podrías darle clase tú?

Yo tenía la cara empapada de sudor y las piernas me flojeaban. No había pensado en Tomás. Me sentía violenta tan sólo con verle, después de haber ido apretujada contra él en el cajón, especialmente después de lo que Marta acababa de decir.

Tomás no me miró tampoco; por lo que me sentí agradecida.

—Sí, podría enseñarle lo que sé —contestó suavemente.

—Muy bien —respondió Marta, golpeando la mesa con las manos—. María, ven aquí siempre que no estés trabajando, y si Tomás está en casa, puede ayudarte. Él no trabaja más que día a día —su cara expresaba orgullo—. Tomás es muy inteligente, y tiene siempre las manos ocupadas. Es la esperanza de la familia.

Las hijas de Marta volvieron a la cocina vociferando y trayendo una pelota roja, y Tomás se pasó el resto del día diciéndome frases en inglés.

—Necesito un empleo —dijo despacio sin mirarme abiertamente.

—Necesito un empleo —repetía yo con cuidado.

No me dijo nada personal mientras practicábamos, pero cuando Óscar y yo nos pusimos los abrigos para volver a salir al frío, nos dio a cada uno varias rebanadas de pan y un pedazo de carne.

—Llévate esto —dijo, y apartó los ojos. Yo no pude más que balbucear mi agradecimiento.

En casa compartimos el pan y la carne con Julia y Alicia, y les contamos lo de mis clases de inglés y la fiesta. Óscar infló las mejillas, sopló con fuerza y aplaudió para ilustrarlo.

—Ya ves, hermana —dijo Julia sonriendo y acariciándome el pelo—, hay buenos augurios aquí. Los hay. Pero debemos tener paciencia. Esa noche, mientras nos dormíamos, Julia inventó una canción sobre el gorrión con los colores del arco iris.

6

Al día siguiente volví al trabajo con Alicia y, al entrar
en el taller, esquivé al hombre del pelo blanco y no levanté la vista mientras trabajaba. Las otras mujeres también miraban hacia abajo y no había más ruido que el
zumbido de las máquinas de coser y, de vez en cuando,
alguna sirena fuera. Todas estábamos trabajando con la
misma tela verde y yo tenía que bizquear para ver las
costuras. En una ocasión dirigí la vista hacia Isabel. Durante la mañana y primera parte de la tarde el hombre
del pelo blanco no se me acercó. Luego, con el rabillo
del ojo, le vi cruzar la nave y acercarse a mí por detrás.

—Levántate y ven conmigo —dijo.

Yo me aterré y miré a Alicia. Tenía la cara pálida y
estaba a punto de levantarse.

—¡Ahora! —ordenó. Empujé la silla hacia atrás latiéndome el corazón y le seguí a un pequeño cuarto, detrás de la nave principal, donde las otras mujeres no me
podían ver. El hombre se echó a reír y me agarró por los
hombros y, cuando me di la vuelta para soltarme, gru-

nó—: Como estás ilegalmente, puedo hacer lo que quiera —se volvió a reír, y a mí me recordó a los *Guardias* y vi sangre cuando iba a cogerme los pechos.

Entonces grité:

—¡Pare! ¡No! —y le di un fuerte puñetazo en la nariz. Él me dio una bofetada en la cara pero yo giré, consiguiendo soltarme y darle una patada en la pierna mientras gritaba—: ¡No me toque!

Atravesé la nave corriendo. Alicia me tiró el abrigo y vi a Isabel y a las otras mujeres agolparse en la puerta del cuarto de atrás impidiendo que el hombre me siguiese. Abrí de un golpe la puerta del taller de costura, casi me caí por las escaleras y salí del edificio al frío. Al fin me encontraba, temblando y tiritando, esperando el *El*. Apenas teníamos comida, muy poco dinero, y yo me había quedado sin trabajo y no me pagarían.

Óscar estaba tumbado en el colchón cuando llegué a nuestro cuarto y me miró sin mucho interés. Julia estaba ausente, fregando platos. En casa no estaba más que el hombre de la armónica tocando una música lejana y triste. Fuera el sol estaba declinando en el firmamento y ya no se reflejaba más que en algunas de las ventanas más altas. Los demás edificios estaban en sombra. Me senté con la espalda contra la pared a descansar.

Alguien llamó a la puerta de nuestro piso y el hombre de la armónica dejó de tocar y fue a abrirla. Oí hablar en voz baja en español; luego Tomás apareció en el quicio de nuestra puerta.

—He venido a ver si estabais aquí tú o Julia —dijo—. Han empezado a repartir comidas en una iglesia, en la que Marta os consiguió la ropa. No comprueban si estás legalmente o no, ni hacen preguntas. Te pones sencillamente en la cola y dentro te dan algo de comer. He pensado que a lo mejor no teníais víveres.

Notando que me acudían las lágrimas a los ojos, le miré abiertamente y no aparté la vista.

—Sí. Tenemos hambre —tragué saliva y asentí con la cabeza—. ¿Estás seguro de que no hay peligro?

—Sí. Estuve anoche. No hicieron ninguna pregunta y había otras familias, algunas como nosotros. Coge a Óscar y os llevaré allí.

Levanté a Óscar y le puse el abrigo. Tenía un aspecto muy escuálido y cansado. Tomás me preguntó:

—¿No hay alguna otra cosa que ponerle? Quizá tengamos que esperar mucho al aire libre.

Eché un vistazo en derredor.

—No sé el qué.

Tomás miró las cortinas.

—Vamos a coger una de estas. Le podemos arropar con ella —cogí una silla y desprendí la cortina, que era de una tela gruesa blanca, estampada con rosas rojas descoloridas.

Mientras íbamos con Tomás camino de la iglesia, advertí que ya no cojeaba. Debía de tener el pie mejor. Empezaba a anochecer cuando llegamos y había una cola de gente esperando fuera a que abriesen la iglesia. Fuimos al final de la cola y envolvimos a Óscar en la cortina. Parecía muy pequeño y extraño.

Tomás empezó a retorcerse el botón de la chaqueta entre dos dedos.

—¿Qué ha pasado con tu empleo? —me preguntó ladeando la cabeza ligeramente—. ¿Cómo es que estabas en casa si Alicia no lo estaba?

Bajé la vista.

—El jefe no ha querido que me quede más —susurré.

—Lo siento —dijo Tomás y se sopló las manos para calentárselas.

Pensé en los ojos de Tomás. Al mirarlos de frente, me parecían profundos, como yo me imaginaba el mar.

La niña que había delante de mí se echó a llorar y su madre la cogió en brazos y trató de calmarla en español. Una mujer rubia embarazada se puso en la cola detrás de nosotros. Tenía la nariz roja y parecía como si no tuviese pestañas. Luego vino cojeando hacia nosotros una anciana que empujaba un desvencijado cochecito de niño repleto de periódicos, flores de plástico y latas vacías. Caminaba con dificultad, con pasos cortos y rápidos, con la mirada puesta en la lejanía. Iba vestida con un andrajoso abrigo cubierto por una toquilla dorada verdosa, del color de las alas del *quetzal*.

Se paró delante de nosotros, de repente pareció reconocer a Óscar y soltó el cochecito. Tenía la cara morena y muy arrugada, y los párpados de sus grandes y pesados ojos estaban hinchados por la edad.

—Vaya, qué extraño eres —dijo en español mirándole a Óscar a los ojos.

Óscar pestañeó y le devolvió la mirada a través de los dobleces de la vieja cortina. Yo me adelanté para apartarla de Óscar, y ella se volvió hacia mí sonriendo. Tenía la barbilla prominente y llevaba el cabello, que le caía por un lado de la cabeza, recogido con una goma. Sus ojos eran raros, pero bondadosos.

—Estás a cargo de él, ¿verdad, querida? Bueno, pues este niño se parece a mi hermano pequeño. Al único que yo he querido. Era dulce como la caña de azúcar.

Tomás se puso detrás de Óscar con las manos en los hombros del niño.

La anciana continúo hablándome a mí.

—Cuando me ves a mí, ves a mi padre. Me parezco a él, y tengo también su manera de ser. Terquedad —bizqueó y levantó en el aire un dedo largo y deforme—. Y, yo, el mismo diablo —luego se le dulcificaron los ojos y alargó la mano para acariciar a Óscar—. Pero no era así mi hermanito.

La cara de Óscar se serenó.

—¿Has visto al hombre de la sombra? —preguntó con claridad.

—Muchas veces, muchas veces —dijo santiguándose, y se sacó del bolsillo un crucifijo que le puso a Óscar delante—. Coge esto, *mijito* —añadió—. Te mantendrá fuera de peligro —Óscar sacó la mano de entre los pliegues de la cortina y cogió el crucifijo. Le brillaban los ojos.

—Cuando haga mejor tiempo, puedes venir a visitarme —dijo—. Te enseñaré a dar de comer a las palomas —luego se agachó y le cuchicheó al oído—: Y, verás, si eres listo, alguna vez podrás robar un poco de pan —movió la cabeza en dirección a la iglesia. Óscar sofocó una risilla.

—Bueno, bueno, el chico está mejor —suspiró la anciana echándose hacia atrás y golpeándose las caderas varias veces con las manos. Incluso en la semioscuridad me pareció ver que le salía polvo del abrigo—. Tenemos que ocuparnos de nuestros quehaceres, ¿verdad? —hablaba hacia atrás, al vacío—. Vaya si es así —dijo como respondiendo—. Ocúpate de lo tuyo, que Dios se ocupará de lo demás —hizo una elegante reverencia al aire, se volvió hacia mí y me hizo un guiño—. Tengo una manera de ser muy rara —añadió, mientras se iba hacia el final de la cola empujando el cochecito.

Miré a Tomás tratando de no reírme.

—¿De dónde habrá salido? —pregunté.

—Como si lo supiese —Tomás se echó a reír arqueando las cejas, se encogió de hombros e hizo un gesto con las manos hacia arriba.

Óscar me tiró de la manga.

—Su chal, es del color del *quetzal* de la jaula —dijo. Asentí con la cabeza contemplándola mientras se alejaba y recordando cómo había liberado yo al pájaro.

—Es verdad. Hablaste de él en el cajón —respondió Tomás—. Contaste que habías visto un *quetzal*. Estaba aún vivo, ¿no es así? Yo creía que se morirían enjaulados.

—Lo encontramos a tiempo —contesté—. Mi padre nos contaba cuentos de esas aves. Decía que los *quetzales* son tímidos, y que les gusta vivir en los bosques, no entre la gente —pensé en el pájaro debatiéndose y dando vueltas mientras yo trataba de abrir la jaula. Sus ojos marrones, casi negros, parecían estar implorando que le pusiesen en libertad.

—He oído decir que los indios pensaban que los *quetzales* representaban la belleza. Y la bondad —dijo Tomás. Yo volví a decir que sí con la cabeza.

—Y la magia. No olvidéis la magia —añadió Óscar.

De repente se abrió la puerta de la iglesia y la gente empezó a avanzar. Agarré a Óscar de la mano y fuimos rápidamente hacia la puerta. Óscar, Tomás y yo nos llenamos el estómago vacío con un estofado caliente, frutas de lata y pan. Esa noche Óscar se durmió sonriendo y yo prometí que me quedaría con él al día siguiente. Mientras dormía, escribí una carta a Isabel, despidiéndome, para enviársela con Alicia al trabajo a la mañana siguiente.

Cuando Julia y yo yacíamos en nuestro colchón, le susurré:

—¿Te pareció bien que llevase a Óscar a la iglesia con Tomás?

Julia alargó la mano y me tocó el pelo:

—Sí, hermanita, creo que a *papá* no le hubiera parecido mal. Ni a *mamá* —sonreí, pensé en Isabel, y me quedé dormida.

No encontré trabajo los días siguientes, así que Óscar y yo nos quedábamos en casa la mayor parte del tiempo viendo la televisión. Nos reíamos con los concursos y yo trataba de aprender los sonidos ingleses. Le contaba a Óscar cuentos para hacerle hablar y sentía mucho no estar en casa para poderle hacer mis dibujos en la tierra. Óscar con frecuencia contemplaba a los hombres jugar a las cartas y cuando ganaba el hombre del tatuaje, éste se reía, abrazaba a Óscar y le revolvía el pelo. Óscar se sentía un poco cohibido pero se reía disimuladamente.

En nuestro cuarto de baño había un espejo y, a última hora de la tarde, antes de ir con Tomás a la iglesia, me peinaba de diferentes maneras tratando de parecer mayor. Unas veces me echaba mi oscura melena sobre un hombro, otras llevaba una trenza por la espalda, pero la mayoría de las veces me lo peinaba tirante hacia atrás con una cinta que había cortado de las cortinas. Algunos días me miraba en el espejo y cantaba las canciones de Julia.

Con frecuencia me miraba fijamente a los ojos. Empezaba a mirar abiertamente a Tomás cuando charlábamos en la iglesia, pero me avergonzaba por haberlo hecho, y no me parecía que a mi padre le hubiese gustado, así que rezaba a la Virgen para que me mantuviese dentro de las normas de lo conveniente. Luego Tomás y yo practicábamos el inglés y al cabo de un rato volvía a mirarle.

Una tarde, cuando estábamos esperando con Óscar a que abriesen la iglesia para comer, dije:

—Tomás, aquel primer día después de los cajones, en

que estábamos en el piso de Marta, dijiste algo sobre el mar. Que te gustaba irte nadando lejos.

Tomás sonrió.

—Sí. Especialmente durante los temporales, pues es cuando las olas son enormes. Aunque mi madre y Marta nunca se enteraron de eso. Me habrían matado si lo hubiesen sabido —se echó a reír.

—¿Por qué te gustaba hacerlo? ¿No te parecía peligroso?

—Qué va. Nunca he tenido miedo en el agua. Sencillamente me sentía como si estuviese completamente solo. Nadie necesitaba nada. Yo solo y las olas, y toda la emoción —se pasó los dedos por el cabello—. Sabes, yo no conocí bien a mi padre ni a mi madre; ella siempre estaba trabajando. Pero tenía grandes proyectos para mí. Muy grandes. Así que empecé a salir a nadar solo desde que era muy pequeño. Cuando estaba allá fuera no me importaba nada. Sencillamente me encantaban las olas.

Durante unos minutos observé a las otras personas que estaban en la cola. Cuando dejé de mirarlas, Tomás se estaba retorciendo el pelo con un dedo y tenía la mirada puesta en la lejanía.

—Yo nunca he visto el mar —dije—, pero mi padre nos contaba historias sobre él, sobre cómo un año salió en los barcos de pesca. A veces, yo imaginaba que las nubes eran olas. Papá nos contaba que te podías tirar contra ellas y que te pasaban por encima —me reí entre dientes—. Una vez me tiré de nuestro cobertizo jugando a que estaba tirándome a las olas. Mi madre se puso como loca conmigo.

Tomás se rió de mí y yo cogí a Óscar en brazos.

—Cuando yo era pequeño —dijo—, los chicos me tomaban el pelo porque tenía los ojos azules. Entonces mi madre me cantaba canciones en que decía que yo tenía el mar en los ojos. Me imagino que eso es por lo que nunca tuve miedo durante las tempestades. —Esa noche, mientras estaba tumbada en el colchón, pensé en Tomás nadando en el mar.

A la mañana siguiente, el hombre de la armónica trajo a casa un montón de papeles de color crema. En un lado tenían impresas unas palabras en inglés y un puño en alto, pero del otro lado estaban en blanco. Empecé a dibujar en el papel con nuestro lápiz pero, cuando el hombre de la armónica vio mi emoción, me dio dinero para lápices y para unos pocos rotuladores de los que habíamos visto en la tienda de juguetes. Pasé los días siguientes a cuatro patas en el suelo haciendo dibujos de nuestra tierra para Óscar.

Le dibujé un cielo azul con un arco iris de todos los colores que se elevaba por encima de verdes campos de caña de azúcar. Le dibujé la cabeza de un gallo verde y blanco, con unos ojos brillantes que nos miraban fijamente y la cresta roja coronándole la cabeza, mientras que en el fondo aparecía nuestro perro de color pardusco. Le dibujé el campanario de una iglesia blanca, sobre un firmamento azul, con un pájaro que volaba hacia ella. Le dibujé unos lirios de color violeta y blancos y una mariposa amarilla pálida y naranja elevándose hacia el cielo. Le dibujé el magnífico *quetzal* de los cuentos de *papá*, con sus inteligentes ojos, sus alas doradas y verdes, sus plumas de colores y su cuerpo rojo y blanco remontándose hacia el cielo al huir de la jaula. Pero no le dibujé ninguna persona, ni cuando me lo suplicó:

—Por favor, María, dibuja a *mamá*. Dibuja a *mamá*.

Yo agitaba la cabeza y le decía:

—No, Óscar, no sé dibujar a *mamá*. Ni a *mamá* ni a *papá*.

Cuando Alicia vio todos los dibujos de nuestra tierra, nos trajo un rollo de celo y los pegamos en las paredes de los cuartos, y los que más encima de los colchones. Los hombres sonreían por las noches al ver nuestros trabajos nuevos, y a Óscar se le alegraban los ojos con ellos. Sin embargo, a pesar de la comida de la iglesia, seguía adelgazando.

Una tarde, mientras entraba el aire fresco por la ventana abierta y se oían los pájaros, Óscar se durmió en nuestro colchón con el brazo sobre la cara. Yo estaba sentada contemplando su frágil respiración y tuve miedo en lo más profundo de mi corazón. Había visto a otros hermanitos míos adelgazar, luego enfermar y morirse. Tres de ellos siendo niños de pecho. Y yo nunca les había querido tanto como quería a Óscar.

Le toqué la pálida mejilla, pero no se despertó, sino que siguió respirando fatigosamente. Me puse a temblar, sin saber qué hacer, y entonces me arrodillé a su lado y le hice otro dibujo. Dibujé un niñito moreno de pie bajo un *amate* verde, con un diminuto pajarillo en el hombro mientras tiraba piedrecitas al aire. A su izquierda puse una casa de madera. Con un lápiz marrón tracé la silueta de la Virgen en el aire por encima del árbol contemplando al niño, y pinté la túnica de la Virgen en azul, amarillo y blanco. Cuando Óscar se despertó se lo di y me miró seriamente con lágrimas en los ojos.

—María, por favor —me volvió a suplicar—, pon a *mamá,* pon a *mamá.*

Yo le miré fijamente, tragué saliva, y asentí con la cabeza. Cogí el lápiz y dibujé la silueta de una mujer. Estaba rígida y sin vida, pero era *mamá.* A su lado puse a la pequeña Teresa.

Óscar cogió el dibujo y se arrodilló en el suelo, luego lo dobló a la mitad presionándolo cuidadosamente con las manos. Lo dobló otra vez más, y otra, hasta convertirlo en un pequeño cuadrado que se apretó contra el pecho. Yo noté que me resbalaban las lágrimas por las mejillas de lo que echaba de menos a mi madre. A partir de entonces, Óscar llevaba el dibujo donde iba, lo desdoblaba de vez en cuando, lo contemplaba atentamente y lo volvía a doblar.

Varias tardes después decidí que a Óscar le hacía falta tomar el sol, así que le llevé detrás de nuestra casa, donde no había gente. La nieve se había derretido, el tiempo era más caliente y cantaban los pájaros. Busqué hasta encontrar varias piedrecillas para Óscar y nos acurrucamos con la espalda contra el muro.

Las palomas salían volando de los tejados de los edificios próximos y se posaban cerca de nosotros. Entonces vi una cometa blanca y roja con una larga cola amarilla que volaba muy por encima del tejado de una casa próxima.

—¡Óscar, mira! —grité, poniéndome de pie de un salto. La cometa avanzaba por el aire y se dejaba llevar por la brisa como un pájaro, luego cogió una corriente descendente y fue a caer detrás de otro edificio.

Mientras mirábamos dónde había desaparecido la cometa, la anciana de la toquilla dorada y verde empujando el cochecito de niño dobló la esquina del edificio. Al vernos se apresuró hacia nosotros.

—Vaya, vaya —dijo—. Es mi niño favorito —avanzó arrastrando los pies hasta donde estaba Óscar y le puso una mano en la cabeza.

Óscar señaló al sitio donde había estado la cometa.

—Ah, viste la cometa, ¿verdad? Eso significa que es primavera —soltó una risita—. Primavera —dijo en inglés; luego siguió en español—: Hasta el humilde gorrión tiene su estación —se volvió hacia mí—. Coge al niño y ven conmigo, querida. Te mostraré la otra señal de primavera —se detuvo—. Esos otros..., a esos no se la enseñaría. De ninguna manera. No saben nada —dijo con desprecio.

La seguimos por un callejón hasta detrás de otro edificio cochambroso donde la anciana tomó la delantera abriéndose camino entre trastos viejos, de la misma manera que los hombres de nuestro país se lo abrían con machetes entre los ramajes. Volvió la cabeza y me miró.

—La casa estaba llena de buenos chicos. Yo era la mala. Sólo mi hermano pequeño se llevaba bien conmigo. A los demás les digo: «Habéis acabado conmigo y yo con vosotros.» Yo no me trato con mucha gente.

Se detuvo de repente, enderezó los hombros, sonrió y señaló el suelo. Entre las malas hierbas secas salían unas flores diminutas de color morado y amarillo fuerte.

—Oh, Óscar, mira. Como en casa —miró las flores y sus ojos se animaron. Yo dirigí la vista a la frágil y extraña anciana—. Mi hermano pequeño —dijo— creía que las flores salían de unas cintas que había en el suelo.

Esa noche, mientras esperábamos en la cola de la iglesia con Tomás, la anciana dobló la esquina empujando su cochecito.

—Mira —dijo Óscar sonriendo—, la *Señora Quetzal* —el labio inferior de la mujer se transformó en una amplia sonrisa desdentada. Empujó el coche hasta nuestro lado, se inclinó ante mí, luego alargó la mano y la introdujo en el coche, agarró un paquete y me lo dio de un empujón.

—Querida —dijo—, os he traído a ti y al niño una cometa.

La cogí encantada y me volví hacia Tomás.

—Dijo que la cometa era una señal de primavera —le comenté.

Me puso una mano en el hombro.

—Cuando yo no tenga trabajo, llevaremos a Óscar a un solar y la haremos volar —el calor de su mano se me propagó por la espalda.

Yo sonreí a la anciana.

—*Gracias. Muchas gracias.*

Unos días después, en que hacía sol y soplaba el viento, Tomás apareció en nuestra puerta.

—Hace muy buen día para hacer volar la cometa —dijo.

Fruncí el ceño.

—No sé. Óscar tiene un poco de fiebre.

Tomás se acercó a Óscar y se inclinó sobre el colchón donde estaba tumbado. Tomás le sonrió y le dijo:

—Bueno, Óscar, ¿estás dispuesto a ver la cometa?

Óscar se entusiasmó. Le puso la mano en la frente. Estaba más caliente de lo normal, pero no abrasando.

Tomás me miró.

—Le envolveremos en la cortina y puede quedarse quieto.

—¿No te da miedo salir durante el día? ¿Por la policía?

—No —Tomás movió la cabeza—. Tenemos el mismo aspecto que los demás. Nadie se fija.

Así que envolvimos a Óscar en la cortina, fuimos a un solar y le colocamos sobre unos ladrillos. Luego montamos la cometa amarilla y verde y atamos la cuerda que llevaba. La brisa templada se me colaba por el abrigo, me daba en el pecho y me subía por el brazo mientras sostenía la cometa en el aire estirándome todo lo que podía.

Tomás echó a correr tirando de la cuerda. La cometa salió volando por el aire pero de repente se dio la vuelta y se cayó al suelo.

—¡Me parece que va a funcionar! —me gritó Tomás, mientras corría hacia la cometa. Me la entregó y lo volvió a intentar. Esta vez la cometa se remontó a más altura en el aire.

Tomás se alejó aún más corriendo y la cometa dio una sacudida hacia arriba, cogió el viento y subió muy alto. De alguna manera la cometa evitaba los edificios y los cables. Otros niños se reunieron con nosotros gritando y riéndose. Las palomas volaban hacia la cometa y el color de sus alas se invertía en el aire al virar siguiendo el viento.

—¡Te toca a ti! —me gritó Tomás. Me precipité a donde él estaba, agarré la cuerda y corrí con ella dando traspiés entre la basura, pero cada vez más animada. La cometa cogió una corriente descendente y se precipitó hacia el suelo, pero yo agarré la cuerda suelta, tiré con fuerza, salí corriendo de nuevo y se elevó. Oí a Óscar chillar y aplaudir.

Tomás se me acercó corriendo y me colocó sus manos sobre las mías.

—Que Óscar la coja antes de que choque con una casa —dijo.

Fuimos dando vueltas hasta donde estaba Óscar tirando de la cometa para mantenerla en el aire, pero se precipitó hacia abajo y dio en el suelo. Tomás volvió a ir corriendo a donde estaba la cometa, la sostuvo en el aire y gritó:

—¡Tira! ¡Tira!

Tiré con fuerza de la cuerda y salí corriendo. La cometa volvió a ascender por el aire. Yo me reía de alegría y emoción cuando llegué donde se encontraba Óscar que estaba de puntillas dando gritos.

—Cógela, Óscar, y tira fuerte —le grité.

Agarró la cuerda con sus manitas y dio un traspiés hacia atrás cayéndosele la cortina de los hombros.

—¡Ole! ¡Ole! —gritaba, riéndose tanto que tropezó y se cayó. Yo atrapé la cuerda y tiré, pero me agaché de la risa hasta que me caí al suelo con él. Tomás se reunió con nosotros y dio un tirón a la cuerda pero la cometa subió de lado y se desplomó. Sin aliento, y riéndose también, Tomás se tiró al suelo a nuestro lado.

Esa noche Óscar rebosaba emoción y yo no me acosté hasta tarde haciendo un dibujo de Nuestra Señora para Marta y Tomás. Había hecho el contorno en un pedazo de madera que había encontrado y, mientras los demás dormían, coloreé la silueta de la Virgen con tonalidades calientes de rojo, azul y amarillo, hasta que los colores llegaron a entonar con las voces de nuestros aldeanos en misa.

—*Gracias* —le susurré, sonriendo, antes de quedarme dormida.

A la mañana siguiente, a la tenue luz del amanecer, Alicia me sacudió.

—El hombre del pelo blanco se ha ido —susurró—. Me parece que no hay peligro para ti si vuelves al trabajo.

Julia estaba despierta, bebiendo café, sentada en el colchón con la espalda apoyada en la pared.

—Yo creo que deberías ir con ella, María —dijo Julia—. Aunque implique el dejar a Óscar solo. No sé cuánto tiempo más voy a poder seguir fregando platos —su voz era como un sollozo—. Iré a casa de Marta antes de acudir al trabajo para decírselo a Tomás que, Dios mediante, seguirá llevando a comer a Óscar sin ti.

—¿Quieres despedirme de Óscar?

Movió la cabeza afirmativamente.

Me ruboricé.

—¿Y quieres dar mi cuadro de Nuestra Señora a Marta y Tomás?

Julia me sonrió.

—Claro, hermana, claro. Por supuesto.

Poco tiempo después ya estaba en el *El* con Alicia. Había más luz que cuando había ido con ella anteriormente. El cielo estaba despejado y el sol ya calentaba. Un buen día para una cometa, pensé, y sonreí al recordar el día antes. Sin embargo, me preguntaba si no habría sido imprudente sacar a Óscar con fiebre. También me preguntaba si Tomás se daría cuenta de lo oscura que era mi piel. Luego pensé en la anciana de la toquilla dorada y verde, la *Señora Quetzal,* y sonreí de nuevo y noté que tenía lágrimas en los ojos.

7

Así volví a trabajar con Alicia, pero Isabel ya no estaba. El nuevo jefe no me prestaba la menor atención y yo trabajaba tan deprisa como las demás mujeres. La segunda noche Julia nos estaba esperando en la puerta de nuestro piso.

—Marta ha recibido una carta para nosotras —dijo— de *mamá*.

Me arrodillé en el colchón y Julia me observaba la cara mientras yo leía lo escrito a lápiz. «Mis queridos hijos —empezaba *mamá*—. Llegó el dinero que enviasteis y Teresa está un poco mejor. Gracias a la comida y a las medicinas. Pero estamos en peligro. Han deportado a más gente, así que me quedo en casa la mayor parte del tiempo y cuido de los niños de Beatriz. Doy gracias a Nuestra Señora de que estéis vivos y le ruego que podamos reunirnos con vosotros. Que Dios os ampare a todos, pero especialmente a ti, Julia, cuando te llegue la hora. Muchos besos de mamá.» Suspiré y cerré los ojos, y noté que Julia me apretaba la mano. Óscar se recostó contra mí.

Cuando llegamos a casa la cuarta noche después de haber vuelto yo a trabajar, Julia me esperaba en la puerta.

—Tenemos que hablar —dijo. Tenía el rostro pálido. Fuimos a nuestro colchón y se sentó con la espalda contra la pared.

—Me he sentido muy mal hoy —dijo—, así que he cogido a Óscar y me he ido a ver a doña Elena, que me ha dicho que, si sigo trabajando y no como más, puedo perder el niño —las lágrimas le resbalaron por la cara. Óscar se trasladó de donde estaba tumbado y me puso la cabeza en el pecho. Yo le apreté contra mí.

—No puedo perderlo —dijo Julia llorando—. Es lo único que tengo de Ramón. Pero doña Elena ha dicho que tengo que dejar de trabajar —se quedó en silencio durante unos momentos, luego suspiró—: Si dejase de trabajar, podría ir con Óscar a comer a la iglesia con más frecuencia.

Se arrastró unos metros hasta una de nuestras cajas y sacó dos bolsas pequeñas de plástico. Una contenía unas hierbas y la otra píldoras.

—Y doña Elena examinó a Óscar y me preguntó lo que comía. Nos dio *azafrán,* para hacer una tisana por si le volvía la fiebre, y vitaminas para él y para mí —levantó la bolsa de las píldoras—. Pero, María —se le dilataron los ojos y trató de susurrar las palabras—, me ha dicho que me asistirá en el parto; sin embargo, que si me pongo mal, quizá tenga que ir de urgencia al hospital.

—¡No, Julia! —grité—. No puedes. Así es como cogieron a la tía de Isabel.

—Ya lo sé, ya lo sé —dijo Julia llorando—. Eso es lo que le dije a doña Elena. Pero contestó que a pesar de todo tal vez tengamos que correr el riesgo —Óscar se agarró a mí y Julia se puso a sollozar—. No puedo perder el niño. Y no comemos lo suficiente. ¿Qué vamos a hacer? —apoyé la cabeza contra la pared y me sentí medio mareada.

Después de esa noche, Julia dejó de trabajar. Se quedaba sentada tranquilamente en nuestro colchón, cantando a veces o contando cuentos a Óscar. Pensé que Óscar quizá estuviese algo más fuerte con las vitaminas de doña Elena. La mayoría de los días, por la tarde, hacían una comida en la iglesia, pero a menudo sentían hambre.

Yo también tenía hambre todo el tiempo, y no teníamos nada que enviar a *mamá* y a Teresa. A Alicia y a mí nos pagaron el sábado pero, durante la segunda semana, para el miércoles ya se nos habían acabado los víveres. Marta nos mandó algo de pan, Alicia nos dio unas judías que tenía, y Tomás nos trajo unos restos de comida que pudo birlar en el restaurante donde generalmente trabajaba. Aparte de eso no nos quedaba más recurso que esperar mi paga.

El hombre del tatuaje me prestó dinero para pagar el *El*. Me sentía débil y mareada mientras trabajaba, me dolía la cabeza constantemente y mi mente empezaba a divagar como cuando estaba en el cajón. Recordaba nuestras preciosas procesiones de la Semana Santa con flores, música e imágenes de los santos.

Nuestro nuevo jefe estuvo muy antipático cuando nos entregó nuestra primera paga semanal pero, durante la segunda, ya no andaba de abajo arriba ante nosotras vigilando nuestro trabajo. Para el jueves de la segunda semana, cuando yo estaba alimentándome tan poco, ni tan siquiera nos miraba, se quedaba quieto al lado de la puerta. En cierta ocasion se oyó una sirena por la calle de abajo y dio un salto hacia atrás contra la pared.

Ese viernes por la noche me desperté gritando, empapada en sudor y doliéndome todo el cuerpo. Julia me agarró.

—No te pasa nada, hermana —susurró—. No comes, por eso te han vuelto las pesadillas. Mañana es sábado y te pagarán. Luego tienes el domingo libre y puedes comer. Hay esperanza, María. Sigue aguantando —así que volví a dormirme.

A la mañana siguiente iba sentada en el *El* con los ojos cerrados balanceándome rígidamente con el movimiento. No tenía dinero para el billete de vuelta, así que tendría que gastar parte de mi paga para volver esa noche. Alicia no hablaba, pero me puso una mano sobre la mía. Yo sabía que ella tampoco había comido y que había compartido con nosotras los víveres que tenía. Me pasó el brazo por los hombros mientras íbamos desde el *El* al taller de costura.

—Esta noche nos pagan —me recordó—, y te sentirás mejor. No te des por vencida, María. Eres joven y tu hermana y tu hermano te necesitan.

Cuando llegamos nuestro jefe estaba en un rincón de espaldas a nosotras. Nos pusimos a trabajar. Para entonces ya me había dado cuenta de que las otras también tenían hambre cuando llegaba el día de la paga. La mayoría traía algo que comer al principio de la semana pero, para el sábado, solamente un par de ellas tenían algo. Durante el mediodía oía las sirenas, pero entonces ya me habían llegado a sonar como parte del viento.

Pasaban las horas y me dolía el estómago. Algo que comer, pensaba. Necesitamos comida. Me di cuenta de que Alicia me miró una vez. «Esta noche comeremos», parecía decir. Al fin, por unas ventanas lejanas vi que los rayos del sol estaban ya muy oblicuos en el cielo. Entonces nuestro jefe salió sigilosamente de la nave, pero yo continué trabajando.

De repente las puertas se abrieron de golpe e irrumpieron unos hombres de uniforme.

—¡La Inmigración! ¡La Inmigración! ¡Quedaos donde estáis! —vociferaron.

Estalló un gran alboroto por toda la nave mientras nos levantábamos de golpe de las máquinas. Se caían las mesas y las mujeres seguían gritando. Me volví alocada hacia Alicia que me gritó:

—¡Escóndete! ¡Escóndete! ¡Debajo de una mesa!

Las mujeres corrían hacia la ventana y hacia la habitación de atrás. Vi a una levantar una silla para romper el cristal de una ventana. ¡No saltes! ¡No saltes!, pensé. Los hombres de la Inmigración avanzaban y yo permanecía de pie, incapaz de moverme. Alicia saltó por encima de su máquina y yo me dirigí hacia ella, pero ella me miró y me volvió a gritar:

—¡Escóndete!

Dándome la vuelta vi una mesa cubierta con una tela, me metí debajo y seguí andando a gatas. A mi alrededor empezaron a caer telas y, aunque había poca luz, vi a otras dos mujeres escondidas bajo la mesa en otra esquina.

Luego, junto con los gritos, oí el estruendo producido por cristales rotos. ¡No saltéis! ¡No saltéis!, me dije de nuevo. ¡Alicia! ¿Dónde estás? Los gritos, el estrépito de las mesas al caer y el ruido de la lucha se transformaba en sollozos histéricos como cuando en mi país los *Guardias* se llevaban a los amigos y familiares. Oí a una mujer gritar en español:

—No, no. No me lleven, tengo niños pequeños.

Mi mesa empezó a temblar y un hombre gritó:

—¡Fuera! ¡Fuera! —en la semioscuridad vi unos brazos que sacaban a las otras mujeres de debajo de la mesa. Yo permanecí inmóvil y en silencio, esperando que me cogieran, pero las mujeres no me delataron.

Me imaginé a Julia y a Óscar en el colchón. No habría

comida, pensé. Nada de comida para nosotros. Luego me di cuenta. Hoy era día de paga. El jefe había planeado la redada para no tener que pagarnos. Las lágrimas me abrasaban las mejillas y me consumía de indignación.

Permanecí debajo de la mesa durante mucho tiempo, hasta que la habitación se quedó del todo tranquila. Finalmente salí a gatas y miré en derredor. La nave estaba vacía.

—¡Alicia, Alicia, vuelve! —sollocé dando vueltas. Al fin dejé de moverme, me senté en el suelo y me puse a llorar. Alicia había desaparecido.

Al cabo de un rato dejé de llorar y pensé en la puerta. Tiré del manubrio, pero estaba cerrada con llave. Tiré y tiré y luego le di una patada. A la tercera patada se abrió. Era de noche cuando salí y entonces me acordé que no tenía dinero para el *El*. Hubo unos minutos en que pensé que me iba a desvanecer de hambre y extenuación pero me senté en el bordillo de la acera y esperé a que se me pasase el mareo. Sintiéndome mejor, me dirigí hacia la estación del *El* pero no había nadie en ella y eché a andar por una calle.

Aunque el tiempo era más caliente que cuando llegamos al norte, hacía viento y yo tenía frío. Había tres hombres en una esquina que me miraron, pero di un rodeo para evitarles. Vi más hombres y varias mujeres solas con el cuerpo arqueado en el quicio de una puerta. Una era blanca, la otra negra y no veía la cara de la tercera. Por la calle deambulaban otros hombres que se paraban a hablar con las mujeres. Se oía música procedente de las radios de los coches y de las casas.

Tuve miedo y me acurruqué en el quicio de una puerta para que no me vieran los hombres, pero tenía tanto frío que empecé a tiritar. Al apretar los brazos para entrar en calor, un hombre me vio moverme y echó a andar hacia mí y, balanceándose ligeramente, me llamó en inglés. Le dije que no con la cabeza y me puse a caminar hacia atrás, alejándome, pero él me seguía y me llamaba, y entonces tropecé.

—¡No, no! —me había alcanzado y me cogió por el brazo—. ¡No! ¡No! —volví a gritar, y retorciéndome me solté de él, me di la vuelta y eché a correr.

Pasé varias manzanas corriendo y finalmente me paré y seguí andando. Las calles estaban más concurridas, venía música de diferentes direcciones y en unos anuncios amarillos y azules se exhibían mujeres desnudas. Estaba tan cansada y tenía tanta hambre, que volví a sentirme mareada, por lo que me senté en el umbral de una puerta y me agarré la cabeza con las manos.

Entonces una voz femenina me habló en español.

—Oye, niña, ¿te pasa algo? —se volvió a dirigir a mí y yo me puse de pie. Iba muy pintada, tenía el pelo rojo recogido en lo alto de la cabeza y llevaba tan poca ropa que pensé que debía de estar congelándose—: ¿Te pasa algo?

Fui hacia ella, con lágrimas en la cara, sacudiendo la cabeza.

—¿Qué te pasa?

—Me he perdido y tengo hambre y, como no tengo dinero para el *El,* no puedo ir a casa —dije llorando.

Me recorrió el cuerpo de arriba a abajo con la mirada y luego me volvió a mirar a la cara.

—¿Recién llegada? —me preguntó.

Moví la cabeza afirmativamente.

Sacó algo de dinero del bolsillo.

—Cómprate un par de donuts ahí dentro —me dijo señalando un café—. Cuando vuelvas a salir, te diré dónde puedes coger el *El.*

Entré en el café con el dinero, parpadeando a causa

de las brillantes luces fluorescentes, señalé unos donuts y enseñé el dinero. Había varios hombres sentados a una mesa y yo sentí el ardor de sus ojos en mí mientras me examinaban de pies a cabeza. En la calle miré hacia donde se hallaba la mujer. Estaba hablando con un hombre que iba en un coche reluciente y señalaba hacia donde yo estaba. De nuevo volví a tener miedo.

Me engullí los donuts a grandes mordiscos y volví hacia la mujer. Me preguntó dónde vivía y se lo dije.

—Iré contigo y te enseñaré la estación —dijo. Saludó al pasar por una puerta, me rodeó con el brazo y emprendió la marcha con los tacones altos resonando en la acera. Me condujo por donde había mucha oscuridad y yo tuve mucho miedo. Si no volvía a casa, Julia pensaría que me habían cogido en la redada con Alicia.

La mujer se paró en una estación del *El* y se quedó mirándome en la oscuridad, masticando chicle.

—Es duro, ¿verdad? —dijo. Se puso la chaqueta, apretándosela alrededor de los hombros, y miró a las vías—. Es especialmente duro cuando no hay nadie que te cuide.

Me estremecí y sentí no poder ver las estrellas. *Papá, ¿dónde estás?* pensé. Luego oí venir el *El*. La mujer me entregó más dinero del que iba a necesitar y, mirando hacia el *El* con sus pintarrajeados ojos, dijo:

—Este es. Quizá llegues bien a casa esta noche. Dios sabe lo que puede pasar —y se alejó de mí.

Era media noche cuando finalmente llegué a casa. Julia y el marido de Alicia me recibieron en la puerta. Me resbalaban las lágrimas por la cara.

—Hubo una redada. Alicia ha desaparecido —susurré a su marido. Apartó la cara de nosotras y se le agitaron los hombros con los sollozos.

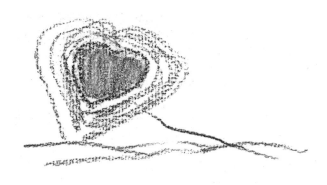

8

Al día siguiente, el marido de Alicia fue a una oficina de asesoramiento legal para tratar de obtener noticias suyas, pero no averiguó nada. Volvió a la oficina todos los días durante una semana, mas no obtuvo ninguna información. Sabíamos que probablemente la deportarían, que la enviarían a casa, de vuelta a las matanzas. Nuestro piso parecía vacío sin ella. Todas las noches, antes de dormirme, pedía a Dios que la protegiese.

Yo buscaba trabajo continuamente, yendo de casa en casa, preguntando en español y en mi chapurreado inglés si había algo que pudiese hacer. Conseguí colocarme varias veces para limpiar por horas y, cuando en la iglesia había bastante, comíamos allí. A Julia el vientre se le abultaba cada vez más, pero ella y Óscar adelgazaban. Y yo pensaba que si Óscar se estaba debilitando de esa manera en el norte, ¿qué sería de *mamá* y de Teresa con incluso menos alimentación? Entonces Marta consiguió un empleo como limpiadora en el norte de la ciudad y empezó a buscar por allí una colocación para mí.

Mientras estaba en su trabajo nosotros le cuidábamos a las niñas y con frecuencia rebuscaba en la basura de la gente rica y nos traía lo que encontraba de comer. Cuando los hombres compraban víveres, Julia y yo se los guisábamos y se los servíamos a ellos y a Óscar. Luego nos comíamos lo que quedaba.

Julia permanecía ahora sentada la mayor parte del tiempo con las manos en el vientre, la vista puesta en la lejanía, pero una tarde la miré y me quedé contemplándola fijamente. La cara se le había vuelto blanca del todo, los ojos se le habían puesto saltones y se pasaba las manos frenéticamente por la tripa.

—¿Qué te pasa, Julia? —le pregunté apremiantemente.

—No lo siento. ¡No se mueve! —empezó a temblar.

Me precipité hacia ella y le coloqué una mano en el abdomen, al lado de las suyas, con los ojos llenos de lágrimas.

—Julia, no, tiene que estar vivo.

Permanecimos en silencio, con las caras desprovistas de color, con las manos sobre su vientre. Entonces yo lo sentí. Un bracito o una pierna se había deslizado de un lado a otro de la barriga. Llena de alegría miré a Julia a los ojos.

—Sí, sí, lo siento —gritó—. ¡Está vivo! —se echó hacia mí y lloramos y reímos y dimos gracias a Nuestra Señora.

Esa noche vino Tomás, y los hombres nos prestaron una baraja. Julia, Tomás y yo dejamos que Óscar participase en nuestra partida ayudándole en sus jugadas. Óscar se reía cuando ganaba. Yo acompañé luego a Tomás hasta la puerta cuando se iba y me indicó que saliese al recibidor con él, lejos de los hombres.

Al quedarse a solas conmigo se ruborizó, se pasó los

dedos por el pelo y, de repente, sus ojos azules parecieron perder su seguridad. Yo me azaré y miré hacia el suelo.

—Tengo algo para ti —dijo Tomás, entonces levanté la vista. Él se metió la mano en el bolsillo y sacó un pequeño medallón de oro con una cadena.

Lo miré fijamente y tartamudeé:

—Pero, *papá* y *mamá* no sé si me dejarían cogerlo.

—No te preocupes, no vale mucho dinero, no te darían nada si lo vendieras —balbuceó Tomás nervioso—. No es más que un pequeño regalo —me lo apretujó en la mano, se dio la vuelta y bajó rápidamente varios escalones—: Yo, yo quería que tuvieses algo bonito —dijo levantando la vista hacia mí. La cara la tenía aún extraña, pero los ojos de nuevo se le habían vuelto cálidos, como el sol. Antes de que yo pudiera responder bajó el resto de las escaleras y salió a la calle.

Óscar estaba casi dormido, y Julia estaba al lado, cuando volví al colchón. No sabía qué decir.

Julia ahuecó el colchón a su lado para que yo me sentase.

—Tienes un aspecto diferente —dijo—. ¿Ha pasado algo?

Me senté a su lado y abrí la mano que tenía cerrada. Nunca me había sentido tan tímida con mi hermana.

—Me lo ha regalado Tomás. Es un regalo. Dijo que quería que yo tuviese algo bonito.

Julia cogió la cadena de oro con un corazoncito sujeto a ella y lo sostuvo en la mano.

—Es precioso.

—¿Se pondría *papá* furioso? —susurré.

—No, hermanita —se rió suavemente. Yo me levanté la larga melena y Julia me ayudó a abrochármelo al cuello—. *Papá* sabría lo diferentes que son las cosas aquí

arriba. Y estaría contento de que tengas un amigo
—noté que una tibieza me inundaba todo el cuerpo.
Cuando me miré al espejo era como si se me hubiese
iluminado el cuello. Estaba tan contenta que todo mi
cuerpo cantaba.

Tomás no se reunió con nosotras en la iglesia cuando
comimos allí a la noche siguiente, así que dimos por hecho que estaba trabajando. La tarde después oímos que
llamaban a la puerta. Todos los hombres habían salido y
generalmente nadie venía a esa hora. Dejando puesta la
cadena de seguridad, abrí la puerta unos centímetros.

Era Tomás quien estaba allí. La mano se me fue hacia
el medallón que llevaba puesto alrededor del cuello y
sonreí algo turbada.

—Acabo de enterarme de que hay otra iglesia donde
reparten comida —dijo Tomás al entrar. Se volvió hacia
Julia—. No se come allí; entregan víveres. No he podido
marcharme de mi trabajo más que unos minutos, así que
tenemos que darnos prisa. Puedo llevar a María.

—*Gracias*, Tomás —dijo Julia.

En vista de esto bajamos a toda prisa las escaleras y
corrimos calle abajo. Cuando nos paramos a causa de los
coches, yo traté de hablar.

—No tuve oportunidad de darte las gracias por el
collar.

—Hace muy bonito —dijo con los ojos sonrientes mirándome de frente.

Empezaban a formarse nubes muy oscuras y comenzó
a hacer viento mientras nos precipitábamos hacia una
iglesia de alta cúpula que yo no había visto nunca. Cuando llegamos allí había una cola muy larga.

Tomás empezó a juguetear con un mechón de pelo
mientras esperábamos al final de la cola.

—Julia va bien, ¿verdad? —preguntó.

—Me parece que sí. Pero ella y Óscar no se alimentan bastante. No sé qué más hacer. Estoy preocupada por ellos todo el tiempo.

—Lo comprendo —dijo—. No se come bastante ni en nuestra tierra ni aquí —permanecimos juntos en silencio tocándonos casi los brazos—. Ahora tengo que marcharme —añadió finalmente Tomás—. Si no, mi jefe se pondrá furioso. Tu inglés es ya mucho mejor. Trata de decirles que necesitas víveres para nosotros también —me apretó el hombro—. Buena suerte.

—*Gracias* —dije, con la mano sobre el medallón, cuando se iba. Empezó a tronar cuando Tomás daba la vuelta a la esquina y unos minutos después, se puso a llover. Yo me quedé contemplando la lluvia, mientras pensaba en lo mucho que me gustaba el ruido que hacía al caer sobre el tejado de yeso de nuestra casa.

La cola se trasladó al otro lado para pegarse al edificio, pero no había la menor protección. El aire olía fragante y limpio, pero nos estábamos empapando y teníamos frío. Cerré los ojos y cuando los volví a abrir vi a la *Señora Quetzal* con su toquilla dorada y verde. Balbuceaba algo al cielo con un periódico sobre la cabeza y otro sobre el cochecito. Echó una mirada en derredor y me vio.

—Vaya, querida, eres tú. ¿Dónde está el niño?

—Está en casa. Yo estoy tratando de conseguir algo de comer para él y para mi hermana.

No me respondió, pero volvió la cabeza hacia atrás, hacia la lluvia.

—Mira a este gorrioncillo empapado —dijo y se echó a reír—. Bueno, pues entonces, por lo que más quieras, dale unos periódicos, estúpida… Soy, soy… Pero, no me metas prisa —revolvió los periódicos que cubrían el coche y los puso a un lado, luego se agachó y sacó unos secos—. Ponte esto por la cabeza, querida —añadió.

Cuando estaba haciendo lo que me decía, salió una mujer por la puerta de la iglesia. Extendió las manos hacia el cielo y se encogió de hombros, como si se sintiese impotente, y se puso a hablar en inglés. Yo no entendía lo que decía, pero los que estaban en la cola exclamaban:

—No. No —y empezaron a empujar hacia delante.

La mujer de la puerta gritó esta vez y entonces yo la comprendí.

—No hay más, no hay más. Se ha terminado —mis lágrimas se mezclaron con la lluvia.

La *Señora Quetzal* vio cómo se disolvía la cola, luego me llamó con el dedo:

—Ven conmigo, querida —dijo lo suficientemente alto como para que yo la oyese a través de la lluvia.

—No —contesté—, tengo que conseguir que me escuchen. Golpearé la puerta.

—Ven conmigo, no seas tonta. Te enseñaré la entrada secreta.

En vista de eso la seguí bajo la lluvia a lo largo de un costado de la iglesia y de un callejón. Ella arrastraba los pies.

—Esta lluvia puede traer granizo —gruñó mientras caminábamos—. Los granizos pueden ser tan grandes como los huevos de gallina en mi tierra. Pueden machacarte.

La parte trasera de la iglesia estaba rodeada por una alta verja y con una cancela cerrada con llave. La *Señora Quetzal* me llevó a un sitio en que había un edificio bajo que llegaba hasta la calle.

—Trepa la valla por aquí, sigue por el tejado, y baja por el muro. Hay una ventana que mantienen abierta para ventilar. Entonces puedes coger un poquito de comida de la cocina —se rió entre dientes—. Estómago lleno, corazón satisfecho.

—¿Cómo sabe esto?

—Solía comer y dormir ahí. Me divertía estar bajo techado. Estaba ahí cuando tuvo lugar toda aquella juerga mística. Antes de estar tan agarrotada. Lo pasamos muy bien ahí algunas veces, ¿verdad? —volvió a decir a la lluvia—. Bueno, bueno —se sacudió las manos como con un abanico—. Ya es hora de pasar a otros los secretos.

—¿No lo saben otras personas? —pregunté.

—¿Por mí? En boca cerrada no entran moscas —contestó con remilgo, con el cuello estirado y sus oscuros ojos con expresión desdeñosa.

Me sostuvo mientras trepaba por la valla y subía al tejado mojado, desde donde me volví hacia ella.

—Bueno, hasta la vista, querida —dijo—. Tengo que continuar con nuestra faena.

Seguí sus instrucciones con la lluvia arremetiendo contra mí y, finalmente, llegué a una ventana entreabierta que empujé con las palmas de las manos hasta que se abrió lo suficiente para colarme por ella. Me dejé caer suavemente por la ventana a un cuarto oscuro y vacío y eché un vistazo alrededor secándome la lluvia de la cara con el revés de los brazos. Con el corazón latiéndome muy fuerte, me precipité por un vestíbulo hasta llegar a una cocina a la que di una ojeada.

La luz estaba encendida y la radio puesta, pero no había nadie. Empecé a abrir los armarios, en busca de comida, pero no había nada, no había más que envases de plástico vacíos. Finalmente, en un cajón, encontré media libreta de pan. Me apropié de ella, volví a cerrar el cajón, y entonces oí voces en el vestíbulo. Presa de pánico, me escondí en una despensa. Entraron en la cocina dos mujeres que hablaban tan deprisa en inglés que no pude entenderlas. Ruega por nosotros pecadores, ruega por nosotros pecadores, me decía yo. Las mujeres salieron de la habitación.

Entonces corrí hacia el primer cuarto, pero me di cuenta de que no podía volver a subir y salir por la ventana, así que miré de nuevo a mi alrededor aterrada. No había más que el vestíbulo. Tiritando, con la ropa empapada, lo crucé de nuevo muy despacio y subí unos escalones que había a la derecha. En lo alto de las escaleras abrí despacio una puerta y me encontré en el altar mayor de la iglesia y, con la bolsa del pan colgando a un lado, miré hacia delante con temor reverencial. Sabía que había iglesias como esta en México, pero no había estado en ninguna. Era enorme y por las cristaleras de colores de las ventanas entraban oblicuamente haces de luz. En el altar había un crucifijo de talla flanqueado por candelabros, flores y banderas.

Vi una enorme imagen de la Virgen plácidamente situada en una gran capilla lateral. La sostenía un ángel tallado, llevaba un vestido rojo y un manto blanco y azul, y estaba sobre un fondo dorado, como los rayos del sol. Me quedé con la boca abierta por lo hermosa que era. Me dirigí entonces hacia ella sin que mis pies hiciesen ruido en la alfombra. Delante tenía candelabros de cristal del color del vino, azules y verdes en los que parpadeaban las velas. Tenía los ojos dulces y serenos y su delicada boca era como un lirio de color de rosa.

—Oh, Señora mía —dije en voz alta—, tú puedes hacer que Julia y Óscar se pongan fuertes. Y puedes traer a *mamá* y Teresa —fui a coger una cerilla para encender una vela pero vi una caja de madera con una abertura para el dinero. Entonces me miré las manos. No solamente no tenía dinero para una vela, sino que llevaba una bolsa de pan robado. Me puse roja como un pimiento bajo los ojos de Nuestra Señora y dejé caer el pan. Entonces oí la voz.

—¿Puedo ayudarte? —preguntó un hombre en español. Me di la vuelta. Era la voz de un hombre alto, delgado, de cabello rojizo, que llevaba el alzacuellos propio de un sacerdote. La cara se me quedó sin sangre—. Soy el padre Jonathan —dijo—. No sabía que hubiese alguien aquí dentro —miró hacia abajo y vio la bolsa de pan. Cerré los ojos y noté que me ponía las manos en mis brazos, como si estuviese evitando que me cayera—. Ven conmigo a mi despacho —añadió. Le seguí a un cuarto atestado de cosas representándome, en la imaginación, a los *Guardias* y mi llegada a casa.

Me echó un abrigo sobre mis ropas empapadas y me señaló una silla. Me senté sintiéndome vacía por dentro.

—¿Por qué cogiste el pan? —me preguntó, sentado detrás de un escritorio.

—Tenemos hambre —dije, luego me paré—. No, tengo hambre yo sola.

—¿De dónde eres?

—De Texas.

Traté de contestar a sus preguntas, pero él se daba cuenta de que yo estaba mintiendo. Me volvió la sangre a la cara y me quemaba como si fuese vino. Finalmente dijo:

—Niña, no te voy a denunciar. Yo estoy aquí para ayudar a la gente como tú. Por mi honor de sacerdote, déjame que te ayude.

Le miré a los ojos. Los tenía rasgados y azules, sin pestañas, pero parecían bondadosos. Tenía el cuello largo y una barba rubia y rojiza, y daba vueltas y vueltas a un lápiz con los dedos de una mano.

—Dime —repitió, y se quitó las gafas de montura marrón, las limpió con un pañuelo y se las volvió a poner—. Primero, ¿dónde están tus padres?

Me acordé de Alicia y de la tía de Isabel, a las que habían devuelto a las matanzas. Luego pensé en lo terriblemente delgados que se estaban quedando Óscar y Julia, así que le volví a mirar, respiré a fondo y farfullé:

—*Mamá* está en México y *papá* ha muerto.

—¿Tu padre ha muerto recientemente?

Dije que sí con la cabeza.

—¿Qué le ocurrió?

—Los *Guardias* —respondí.

Vi que el padre Jonathan daba un respingo al oír el término y se frotó la frente con la mano.

—¿En El Salvador?

Volví a decir que sí con la cabeza. Tartamudeando le conté nuestra historia, pero no le dije dónde vivíamos y él no me lo preguntó.

Finalmente se frotó las manos contra las piernas como si le doliesen, se volvió a quitar las gafas y me miró fijamente a los ojos.

—Aquí no todo el mundo está de acuerdo con la Inmigración. Ni todos apoyan a los *Guardias*. Algunos estamos tratando de que cambien las cosas. Que podáis estar legalmente personas como tú.

—¿De verdad? —dije con la boca abierta—. ¿No todo el mundo está con la Inmigración?

—No, muchas personas no están de acuerdo. Y estamos ideando qué hacer para cambiar las cosas.

Los ojos se me llenaron de lágrimas. No podía creer lo que estaba oyendo. El padre Jonathan se inclinó hacia delante en la silla y de nuevo empezó a dar vueltas al lápiz.

—Aquí ayudamos a toda la gente que podemos, con alimentos y a veces con medicinas. Pero nos quedamos continuamente sin dinero —hizo una pausa. Las lágrimas me resbalaban por las mejillas—. Pero, por el momento —dijo, apretando las manos contra la mesa—, te daré algunos víveres para hoy y, si vienes todos los días unas horas, te pagaremos para que limpies —sonrió con tristeza—. Y te daremos comestibles cuando los tengamos. Sin embargo, yo no estoy aquí todo el tiempo, a veces me ausento —volvió a hacer una pausa—. Hay tanta gente... —echó una mirada por el cuarto, entrelazó sus largos dedos y apretó los nudillos—. No hago más que pensar que tiene que haber una manera mejor de ayudar a las personas como tú.

—*Gracias* —susurré—. ¿No nos va entregar a la policía?

Sacudió la cabeza y sonrió levemente.

—No, lo que voy a hacer es tratar de ayudaros lo más posible. Vuelve y termina tus oraciones, María. Puedes encender una vela. Te voy a dar una aspirina y algo de comer para hoy —volví a la iglesia y di fervorosamente las gracias a Nuestra Señora.

9

Tenía las mejillas calientes cuando emprendí la marcha hacia casa. Había dejado de llover y la ayuda del padre Jonathan parecía ser una bendición de la Virgen. Cuando iba a mitad de camino de una manzana, vi el escaparate de una tienda. Estaba lleno de objetos religiosos y un gato marrón y blanco con una oreja partida andaba sigilosamente entre las imágenes de cerámica de los santos. El gato se deslizaba entre los valiosos objetos casi con desdén y, de repente, se sentó y se puso a lamerse una pata con la cabeza inclinada hacia un lado. Me eché a reír. No sé por qué me recordaba a la *Señora Quetzal*. Detrás del gato estaba apoyado un cuadro de Jesús rubio pintado a mano. Jesús tenía la frente arrugada y los ojos vueltos hacia el cielo. Eso podría hacerlo yo, pensé. Yo podría pintar ese cuadro. El que había pintado para Tomás y Marta era igual de bueno.

Caminé con rapidez el resto del camino pensando en mis dibujos, la aspirina y mi empleo por horas. Cuando entré en nuestras habitaciones, Marta estaba con Julia, que tenía la cara muy sofocada. Empecé a enseñarles los víveres y la aspirina, pero Julia me interrumpió.

—Marta nos ha traído una carta de *mamá* y me la ha leído. Las cosas están tan mal, que *mamá* se ha gastado todo el dinero para enviar a Teresa hacia el norte con unos desconocidos. Van a traer a Teresa a las señas de Marta, pero ya deberían estar aquí.

Dejé los víveres y cogí la carta de *mamá*. «Pido a Dios haber enviado a Teresa con gente buena —decía la carta—. Tengo miedo, hijos míos. Escribidme tan pronto como esté con vosotros.»

Julia tenía los ojos muy abiertos.

—*Mamá* debe de estar en una situación desesperada para haber enviado a Teresa sola.

Asentí con la cabeza, sintiéndome medio mareada.

Arreglamos que hubiera siempre alguien en casa de Marta y nos dispusimos a esperar. Yo observaba cómo se oscurecía la luz de fuera y cómo volvía con el nuevo día, pero no había noticias de Teresa. Fui a trabajar a la iglesia tres veces durante la espera, tratando de no pensar en las historias de niños desaparecidos para siempre después de que sus padres les enviasen hacia el norte. En cierta ocasión, mientras le miraba la cara a la Virgen, pensé, ¿y si Teresa no llega? ¿Y si a la Virgen no le importa?

Finalmente, a última hora de la tercera tarde, Julia volvió de casa de Marta con otra carta. A las personas que viajaban con Teresa las habían cogido en la frontera, y Teresa estaba de vuelta en casa con *mamá*. Yo me recosté en la pared con alivio.

Cuando fui a limpiar la iglesia al día siguiente me pagaron por primera vez y entonces le dije a la Virgen que sentía haber tenido dudas. En el camino hacia casa me paré en un solar lleno de basura. En un montón habían

tirado maderas viejas con clavos, ladrillos y otros trastos, pero entre ellos crecían también unas flores amarillas. Empecé a rebuscar y, al ir ahondando entre la basura, iba echando a un lado toda clase de objetos. Sin
embargo, poco a poco, fui encontrando algunas maderas
del tamaño que quería. Bajé entonces del montón y les
pasé los dedos por la superficie decidiéndome por tres
que estaban bien suaves y gastadas. Sonriendo me llevé
la mano al medallón y me encaminé hacia casa sintiéndome casi con ganas de brincar.

Esa noche, mientras Julia le contaba un cuento a
Óscar, yo me puse a hacer un dibujo de San Antonio
para el padre Jonathan utilizando mis rotuladores. El
santo de mi dibujo llevaba tiernamente a un niño de la
edad de Teresa en un brazo, y con la mano que tenía
libre señalaba hacia la cara del niño como proyectando
luz. Al día siguiente, el padre Jonathan elogió su belleza
y lo colocó cuidadosamente en la pared. Yo rebosaba
satisfacción.

De nuevo me quedé trabajando hasta tarde. Esta vez
en un cuadro de San Martín en tonos marrones, azules y
verdes. Luego coloqué a Óscar en medio de un sofá y,
mientras se revolvía delante de mí, dibujé una cara del
Santo Niño con los ojos de Óscar.

A la mañana siguiente, volví a la tienda de objetos
religiosos donde había visto el gato blanco y marrón. Me
quedé un rato fuera mirando el escaparate y tratando de
hacer acopio de valor. El gato no estaba en el escaparate. Finalmente, al traspasar la puerta, sonó un timbre
anunciando mi presencia. Después de haber estado fuera, el interior resultaba oscuro y tuve miedo. Luego oí el
ronroneo del gato que me rozó la pierna al pasar. Me
agaché y le acaricié la cabeza volviendo a darme cuenta
de la oreja partida. Un hombre carraspeó.

Me puse de pie. El tendero tenía un gran bigote negro, pero apenas tenía barbilla. Me habló en español.

—¿Qué deseas?

Tragando saliva contesté:

—Quiero que vea mis dibujos. He visto el cuadro de Jesús del escaparate. Está pintado a mano y pensé que quizá les interesase comprar otros.

El hombre se echó a reír.

—¿Acaso tienes idea de lo famoso que es ese artista? Tú no eres más que una niña, y ¿crees que podrías vender algo?

Dije que sí con la cabeza rápidamente y saqué mis dibujos. El gato me volvió a pasar rozando entre las piernas. El hombre dejó de reírse cuando vio los dibujos. Los colocó en el mostrador y se echó hacia atrás, pero vi que me miraba de reojo de pies a cabeza.

—Ah, bueno, no están mal —dijo—. Pero la gente no paga mucho por cosas así. Yo no ganaré más que unos céntimos con ellos. ¿Cuánto pides?

—Cinco dólares cada uno —tuve que forzarme para que me salieran las palabras.

—No, no. Es demasiado —el hombre sacudió la cabeza, balanceándosele el bigote, y me los devolvió—. Es más que demasiado.

Yo permanecía allí sin saber qué contestar.

—Te voy a decir una cosa —añadió el hombre—. Dos y medio por éste. Tres dólares por el otro. Nada más que eso —el gato saltó de una silla al mostrador.

—Tres por este, tres cincuenta por el otro —dije rápidamente. El hombre movió la cabeza afirmativamente.

El gato maulló cuando yo salía por la puerta y el timbre volvió a sonar. Tan pronto estuve fuera de la vista del tendero, me apoyé contra un muro. Yo, María, ¡había vendido mis dibujos! *Papá, mamá,* estaríais orgullosos.

116

El dinero lo sentía caliente en las manos cuando se lo enseñé a Julia. Y empecé inmediatamente a trabajar en otro dibujo.

Siempre que iba a limpiar a la iglesia me detenía ante la Virgen y rezaba por *mamá,* Teresa, Óscar y Julia y el niño que estaba en camino. También rezaba para que no estuviese mal mi amistad con Tomás. En casa, Julia y yo no hablábamos sobre lo que podía estar pasando en México.

Ahora que teníamos más que comer, a Óscar le mejoró el color y parecía tener más energía. Una tarde, Tomás le trajo un camión rojo de juguete que había encontrado entre la basura. Sacamos a Óscar detrás de los edificios, donde se puso a jugar en el suelo y a imitar los ruidos de un camión. Entre tanto, Tomás y yo estábamos sentados, apoyados contra los rojos ladrillos. Yo le contemplé la cara, recordando sus rasgos.

—Da gusto el sol —dijo—. Es como estar en nuestra tierra.

—¿Cómo era tu ciudad? —le pregunté—. ¿A qué se dedicaba la gente?

—Bueno, estaba justo sobre el mar. La gente se ganaba la vida con la pesca. Los hombres salían en los barcos. Y teníamos anchas calles sinuosas en cuesta.

—¿Había mucha arena?

—Ya lo creo, por todas partes. Por las calles, por los patios. Pero, a pesar de todo, teníamos muchas flores.

—¿Tú pescabas?

—Yo nunca faené a bordo de los barcos, pero ayudaba cuando llegaban. Y solía trabajar con uno de mis primos en su puesto de bebidas, al que iban los pescadores —Tomás se echó a reír.

—Ocurrió algo muy gracioso cuando estaba trabajando en el puerto hace unos años —dijo—. Estaba abajo, cerca del final del puerto. Yo tenía doce años, me parece, y nunca había conducido un coche. Y llegó mi primo Pablo en su muy, muy viejo *Chevrolet* gris. Estaba en muy mal estado. Pero le pregunté si podía conducirlo y me dijo: «Por supuesto», se apeó y me dio un golpe en el hombro. Así que me subí yo solo. Estaba todavía en marcha, por lo que al sentarme en el asiento del conductor lo único que tenía que hacer era meter la velocidad. Así que empujo la palanca y el coche arranca derecho hacia el borde del mar. La carretera tuerce a la derecha antes de llegar al agua, pero, cuando llega el momento de que yo gire el volante, no ocurre nada. Sigo en dirección al mar y los frenos tampoco funcionan. Así que empiezo a gritar y me voy a estrellar al agua —yo le contemplaba con la boca abierta.

»No había mucho desnivel —continuó Tomás, riéndose mientras hablaba—, y el agua no era muy profunda, así que lo único que me pasó es que me di unos cuantos batacazos, pero la capota acabó dentro del agua y las ruedas hacia arriba. Yo me había cubierto la cabeza con los brazos y, cuando miré alrededor, el agua me llegaba hasta el pecho, y estaba rodeado de barcos con redes de pesca y un viejo navío pudriéndose a su lado. Luego oí a Pablo desgañitándose a gritos.

Tomás se estaba tronchando de risa.

—Tenías que haber visto la expresión de la cara de Pablo.

Yo también me reí.

—¿Y qué pasó con el coche?

—Bueno, por de pronto estaba en un estado lamentable, sin embargo tuve que trabajar durante todo un mes para pagar a su dueño, pero era la primera vez que conducía. La tía Marta dijo que era como todo lo que había hecho siempre —Tomás enarcó las cejas y se encogió de hombros—. Siempre tiene que hacer todo de la manera más difícil. ¿Y qué podía decir yo? —me reí tanto que se me llenaron los ojos de lágrimas.

—¿Qué recuerdas tú cuando piensas en los buenos momentos que has pasado en casa? —me preguntó.

—Bueno, nada tan gracioso como eso —yo también apoyé la cabeza en los ladrillos—. Recuerdo cuando Julia y yo íbamos a lavar la ropa a la orilla del río. Antes de que ella se casase. El agua estaba fría, y nos íbamos donde estaba clara y había rocas. Empezábamos trabajando mucho, pero yo me metía en el agua en seguida y me ponía a salpicarla. Entonces me salpicaba ella a mí —yo me puse a reír de nuevo—. Luego acabábamos olvidándonos de la ropa y nos poníamos a jugar —yo revivía con la imaginación el agua reluciente salpicándome, con Julia detrás riéndose y bromeando conmigo, y con el sol haciendo destacar su cuerpo bajo el vestido mojado.

»*Mamá* tenía cierta manera de tomarnos el pelo —añadí—. Es algo que solía decir cuando hacíamos travesuras como mojarnos. Miraba al cielo y decía: «¿Cómo he podido yo tener dos hijas así? Son menos ayuda que dos pavas escuálidas nacidas de un mismo huevo desproporcionado.» Y se reía, pero nunca se enfadaba.

Tomás se rió.

—¿Alguna otra cosa?

—Uy, uy —dije—. No divertida, pero sí especial —Óscar dejó de jugar con su camión y vino a apoyarse contra mí—. Conseguí aflojar un palo en nuestra casa, justo al lado de donde dormía —conté—. De esa manera podía ver un poco del cielo por la noche. Todas las noches, cuando yo debía de estar durmiendo, nuestro vecino tocaba la *pita,* que es un silbato de madera.

Tomás afirmó con la cabeza:

—Ya, lo he oído.

—Bueno, ya sabes cómo se mueven las estrellas por el cielo de noche —Tomás volvió a asentir—. Pues, mira, yo siempre pensaba que tenía una estrella especial, lo creía desde que era pequeña y, cuando nuestro vecino tocaba la *pita* por la noche, mi estrella se movía donde podía verla por mi grieta. Luego se marchaba. Pero siempre volvía a la noche siguiente.

Oímos un traqueteo, entonces dejamos de hablar y nos volvimos, y vimos a la *Señora Quetzal* empujando su cochecito para venir a reunirse con nosotros detrás del edificio. Llevaba puesto un vestido de algodón harapiento y unas zapatillas andrajosas. Nos pusimos de pie y ella sonrió con su desdentada sonrisa y acarició a Óscar en la cabeza. Entonces observé que se movían los periódicos en su cochecito.

—Adivina lo que te hemos traído esta vez, mi niño favorito —dijo agachándose con dificultad hacia Óscar—. El predilecto de mi hermano pequeño —empezó a rebuscar en el coche tirando al suelo una serie de latas de aluminio—. Claro que también le gustaban los malditos perros —dijo mirándome—. A mí nunca me gustaron, ni me gustarán.

Sacó un gatito de color naranja con un reborde blanco alrededor de uno de los ojos. El gatito maulló cuando Óscar lo cogió con las dos manos y se lo apretó contra el pecho y la cara, y sacó las patas delanteras y las estiró contra el pecho de Óscar mirándole directamente a los ojos entusiasmados del niño. Luego avanzó la cara hacia la mejilla de Óscar tratando como de empujarle mientras ronroneaba ruidosamente.

—Gatito, gatito, gatito. —Óscar se echó a reír y el gato se apartó de la cara de Óscar y se le subió a un hombro. Una vez acomodado, nos miró a todos pausadamente, luego apoyó el hocico en la cabeza de Óscar y le lamió una oreja. Óscar se rió tantísimo que estuvo a punto de caerse y el gato saltó al suelo. Yo me arrodillé, el gato vino hacia mí y Tomás se inclinó contra mí. Yo me acordaba del gato de la oreja rota de la tienda donde había vendido mis dibujos y pensé que a lo mejor los gatos me traían suerte.

Seguimos jugando con el gatito, allí detrás del edificio, mientras que la *Señora Quetzal* nos contemplaba sonriendo con orgullo. Finalmente dijo:

—Ya es hora para nosotros de volver a trabajar —y le cogió el gato a Óscar con suavidad—. Pero volveremos algún día especial, cuando nos necesitéis —nos sonrió bonachonamente, puso al gato en el cochecito y se marchó empujándolo. Óscar dijo adiós con la mano a la *Señora Quetzal* cuando se iba.

10

Una noche, cuando aún estaba oscuro, poco antes del amanecer, Julia me sacudió.

—María —susurró—, he roto aguas y me han empezado los dolores.

Abrí los ojos y me espabilé de repente.

—¿Ya viene? Pero doña Elena dice que aún no ha llegado el momento.

—Pero está ocurriendo —tenía los ojos muy abiertos y la cara pálida—. María, estoy aterrada.

Me levanté y ayudé a Julia a ponerse de pie.

—¿Aguantas hasta casa de doña Elena?

—Sí —asintió con la cabeza.

Le comunicamos al hombre de la armónica que nos íbamos y nos dijo que al día siguiente no trabajaba y que cuidaría de Óscar. Yo pensaba que ojalá hubiese estado Alicia con nosotras. Julia iba apoyada en mí mientras nos precipitábamos por las oscuras calles, parándonos de vez en cuando, cuando Julia tenía algún dolor. Lentamente conseguimos a duras penas subir las escaleras hasta el piso de doña Elena. Llamé a la puerta. Al fin la abrieron. Yo incliné la cabeza en señal de respeto.

—El niño está a punto de llegar —dije.

Doña Elena le miró el vientre a Julia.

—Entra y siéntate —indicó—. Me voy a cambiar de ropa —se movió rápidamente para estirar las sábanas de la cama donde había estado durmiendo, puso una toalla doblada en una silla, indicó a Julia que se sentase allí y salió de la habitación. Julia se acurrucó en la mecedora, y yo me senté en el borde de la cama con el cuerpo rígido de miedo. Por la noche, la tez de Julia parecía casi blanca. Temblaba y estaba rezando.

Doña Elena volvió al cuarto, vestida con un traje estampado oscuro y un delantal blanco, y fue directamente hacia una cómoda, encendió una vela delante de una imagen de Nuestra Señora y susurró unas oraciones. Volviéndose hacia Julia, le dijo:

—Entra en la sala de curas, que te voy a reconocer —me miró—. Tú, María, ahora espera aquí, aunque durante el parto tu hermana probablemente te necesite.

El estómago se me retorcía de miedo pero, mientras esperaba, eché un vistazo por la habitación llena de asombro. Tan sólo en la iglesia había visto yo tanta belleza. En una cómoda vi encajes, fotografías enmarcadas, imágenes de Nuestra Señora y de los santos y la parpadeante vela. Del otro lado del cuarto había otra cómoda y encima una antigua talla de madera como yo nunca había visto jamás. Representaba a un hombre pequeño en un establo, con un sombrero azul y ropajes azules, que llevaba un báculo en una mano mientras que la otra la tenía extendida hacia el cielo; todo el cuerpo estaba bruñido por el tiempo. A su lado había un toro tallado y por encima volaba un ángel de madera con un traje dorado y las manos levantadas. Una diminuta lámpara lucía junto a la pequeña escena resaltando su importancia.

Me contemplé en un espejo. Tenía aspecto cansado y, mientras que Julia y Óscar se habían puesto más pálidos, yo estaba tan morena como siempre. Entonces pensé, Julia es la guapa, Julia es la mayor. ¿Por qué yo? ¿Por qué había de ser yo de quien *papá* pensase que iba a salvar a la familia? Luego recordé todos los sufrimientos que Julia había padecido y me avergoncé.

Oí a doña Elena lavarse en el cuarto de baño.

—Desde luego está a mitad de camino —dijo suavemente al volver a la habitación en que yo esperaba—. Pero no me gusta lo débil que está, y el niño es bastante pequeño. Si algo va mal, tendremos que avisar a una ambulancia.

—¡No podemos! ¡La devolverán! —Me eché a llorar—. ¡A la tía de mi amiga la cogieron cuando trató de ir al hospital!

Doña Elena sacudió la cabeza.

—Eso es posible, pero no ocurre generalmente. No llores, María. Te necesita, y tendrás que ser fuerte. Está asustada y tienes que ayudarla a tranquilizarse —la anciana me miró a los ojos—. ¿Has presenciado algún parto?

Dije que no con la cabeza. Pero sí los había oído, había oído los efectos de la respiración agitada y de la lucha. Recordaba cuando mi madre dio a luz a Teresa. Mi padre se había ido de temporada a buscar trabajo, y Julia, como era una mujer casada, estaba con mamá y con la comadrona. Era de noche y las cigarras cantaban mientras Óscar y yo esperábamos en el cobertizo. Julia había salido donde estábamos algo antes y me había susurrado que ya casi había llegado la hora y que rezase. Así que me arrodillé sosteniendo a Óscar contra mí mientras rezaba el rosario completo pasando las cuentas del de *mamá*. De dentro llegaba el sonido de una respiración difícil. Luego oímos el grito agudo y estridente de un recién nacido, era la niña Teresa.

Entonces doña Elena me puso las dos manos en los hombros y me habló con firmeza.

—Compórtate como si todo fuese bien. El niño viene boca arriba, lo que va a hacerlo más duro. Hay un cuadro de Nuestra Señora en la pared para que lo mire. Trata de que se concentre en eso —se volvió—. Ven conmigo —dijo— y agarra a Julia la mano.

Por tanto, entré en la sala de partos. Julia yacía en una cama alta con una sábana por encima del cuerpo. En un rincón había una camita para un niño y una maleta con el material de doña Julia. Colgado sobre la cama vi un crucifijo pero aparté la vista porque me recordaba al hombre de la sombra de Óscar.

Doña Elena empujó un taburete para mí al lado de Julia, le acarició la cara y le dijo suavemente:

—Vas muy bien. Repite unas oraciones conmigo. —Julia rezó con doña Elena, y yo incliné la cabeza, pero no podía rezar.

De repente, Julia dejó de rezar, levantó las rodillas de un tirón, arqueó la espalda y gritó:

—Oh, oh, *mamá, papá*… Ramón, Ramón.

Doña Elena me miró.

—Apriétale más la mano y háblale.

Yo agarré con fuerza la mano sudorosa de Julia, y ella se aferró a mí.

—Está bien, Julia. Estoy aquí. Te estoy cuidando. Estás a punto de tener tu niño. No tengas miedo. Doña Elena piensa que todo va muy bien —farfullé.

Julia miró fijamente el techo hasta que empezó otro dolor. Arqueó la espalda y gritó:

—¡Ramón! No dejes que me cojan. No dejes que me hagan daño. Vuelve. ¡Vuelve!

Me volví hacia doña Elena alocada, y ella me hizo un gesto con la cabeza: tenía la cara muy seria. Volviéndome a Julia, le apreté una mejilla con la mano.

—No tengas miedo, Julia —dije—. Mira a Nuestra Señora que está en la pared. Se preocupa por ti. Rézale.

Julia miró el cuadro y movió los labios durante unos minutos. Doña Elena se aproximó a ella y le acercó una taza de té a los labios.

Bebe unos sorbitos de eso, Julia. Te aliviará, y yo te daré un masaje en la espalda y en el vientre.

Doña Elena le destapó el vientre y se lo frotó. Julia se quedó más tranquila; luego empezo a quejarse y a llorar otra vez. Yo levanté los ojos hacia el impasible cuadro de la Virgen que había en la pared. ¿Por qué?, me dije, ¿por qué dejas que Julia sufra?

—María, te necesito —gritó Julia perentoriamente. Estiró el brazo hacia mí para cogerme la mano.

Yo se la agarré y me incliné para apoyarle mi cabeza en el pecho.

—Estoy aquí, Julia. No te voy a dejar. Cuidaremos la una de la otra —y en voz baja susurré—: *Mamá, mamá.*

El tiempo pasaba y yo me volví a sentar en el taburete, y doña Elena en su silla a los pies de la cama, cuando oímos que llamaban a la puerta, entonces dijo:

—Es probablemente alguien que me necesita. Quédate con ella. Volveré dentro de un minuto —se quitó el delantal y salió del cuarto.

Miré a Julia. Tenía la respiración agitada y gotas de sudor por la cara, y miraba fijamente a Nuestra Señora, pero no parecía darse cuenta de que yo estuviera allí. Fui hacia la ventana, alejándome de la cama, y miré por ella. Ya era de día. El cielo estaba despejado y había dos árboles pequeños entre la calle y el edificio. Las hojas nuevas perfilaban las ramas de los árboles.

Julia tuvo otro dolor y doña Elena volvió a la habitación justo cuando se le estaba pasando. Mojó un trapo en un lavabo con agua y se lo pasó a Julia por la frente. Julia dio un quejido.

—Ssss —dijo doña Elena tranquilizando a Julia—. Vas a estar muy bien. Estás segura conmigo. Ahora voy a llevar a María a la cocina para darle algo de desayunar.

Se quitó el delantal blanco y me indicó que la siguiese al cuarto de al lado y que me sentase a la mesa de madera. Mirándome por encima del hombro mientras trabajaba, calentó café y sacó unas *tortillas* del frigorífico.

—Los partos no son siempre tan duros —dijo—. En gran parte se debe a que está muy débil y tiene mucho miedo, ha sufrido tanto...

Julia volvió a gemir. Poniéndose de nuevo el delantal, doña Elena dijo:

—Quédate aquí. Volveré —los gritos de Julia disminuyeron y yo eché un vistazo por el cuarto y vi una báscula para bebés, tarros de hierbas en el vasar y ramos de plantas secándose colgadas de unas cuerdas del techo. El cuarto olía como había olido doña Elena cuando la conocimos la noche en que llegamos en los cajones. Volvió a la cocina—. Tu hermana se está dilatando despacio. Creo que aún tardará un rato.

—¿Pero vivirá? —me temblaban las manos.

—Sí, sí vivirá —dijo con compasión—. Voy a servir un poco más de café para nosotras y nos lo tomaremos con Julia. Llevó un bote de hierbas del fogón al vasar. Yo miré de las hierbas a las plantas que colgaban del techo y luego la seguí a la habitación donde estaba Julia.

Julia nos miró y doña Elena le dijo suavemente.

—Estoy contigo, hija mía.

—Yo también, Julia —dije. Entoces me volví hacia doña Elena inclinando la cabeza con respeto—: Doña Elena, ¿puedo hacerle una pregunta?

—Por supuesto.

—Usted no es mexicana, ¿verdad?

—No.

—Entonces, ¿de dónde es?

—Soy de Nuevo México, de aquí en los Estados Unidos; soy ciudadana de este país.

—Pero si es de Nuevo México, ¿por qué está en Chicago? Está tan lejos.

La anciana se frotó las palmas de las manos contra el vestido.

—Vine a estar con mi hijo —suspiró—. Cuando los mayores, a quienes yo quería, ya se habían ido —se miró las manos—. Ahora mi hijo también se ha ido, pero tengo tantos pacientes, muchos sin papeles, como vosotras, que sencillamente no puedo dejarlos y marcharme.

Julia tuvo otro dolor y doña Elena se puso al lado de la cama. Cuando pasó el dolor, pregunté a doña Elena:

—¿Echa de menos su tierra?

Se arrecostó en la silla y se apartó el cabello blanco de la cara.

—Claro —contestó—. Yo crecí en las praderas de los *llanos,* como pastora de ovejas, bajo el inmenso firmamento —hizo una pausa, luego siguió—: ¿Has visto mi San Isidro? —salió del cuarto y volvió con la antigua talla del hombrecillo con un toro y un ángel—. Era de mi bisabuela. Es muy valioso, es lo único que me queda de mi infancia.

—¿Qué está haciendo?

—Está bendiciendo la tierra. Cuando yo era niña, todos los años durante el mes de mayo, teníamos procesiones con flores. Llevábamos nuestro San Isidro grande por los campos para que los hiciese fértiles.

—Nosotros también teníamos procesiones —susurré.

Me puso una mano en la mía.

—Entonces ya sabes lo bonitas que eran —sonrió—. Los ropajes azules del santo me recuerdan el cielo de mi tierra —y tras una pausa, dijo—: Aquí tenemos suerte si tan siquiera vemos una raya azul, y es gris y sucia.

—Ya lo sé —dije suavemente—. En casa, antes de los *Guardias*, yo creía que el cielo estaba lleno de ángeles, y que así estábamos a salvo. Ahora no lo veo nunca, y aquí hasta la lluvia es cruel —empecé a llorar de nuevo mientras Julia gemía. Doña Elena dejó la talla y me indicó que me pusiese al lado de Julia.

Pasó más tiempo. Julia se quejaba y arqueaba el cuerpo, y doña Elena le dio masaje en la espalda y en el vientre. Llegaban otras personas a la puerta de doña Elena, hablaban bajito y se iban. El sudor en el cuerpo de Julia destacaba como el rocío en los tallos nuevos de grano. Una vez, en que me puse delante de sus asustados ojos, me preguntó con insistencia:

—¿Ramón? ¿Ramón? ¿Dondé está?

Le agarré fuertemente las manos.

—Julia, soy yo, María. Estoy contigo. Estamos aquí con doña Elena —las lágrimas le resbalaban por las mejillas, dejó caer mis manos y se echó hacia atrás mirando fijamente al techo.

Me senté en el taburete y cerré los ojos con dolor.

—*Mamá, papá* —sollocé—. Quiero ir a casa, quiero ir a casa.

Doña Elena entró en el cuarto y arrimó su silla al lado

de donde yo estaba sentada en el taburete. Extendió una mano, suave y rugosa, y la colocó sobre la mía.

—María —dijo—, llegarás a saber que lo bueno, lo bueno que has disfrutado antes, no se irá nunca. Está todo dentro de ti. Tu familia, tu casa, tu tierra, antes de que empezasen las matanzas. Tú puedes mantener todas esas cosas vivas en tu interior. Como mi hijo y mi familia viven en mí, y las praderas y el firmamento. Los siento todos los días. Siguen siendo parte de mí, y será así para ti —se quedó quieta, con su mano sobre la mía y de nuevo volví a pensar en el musgo de las altas rocas que hay cerca de nuestra casa.

Julia sollozó de nuevo y yo volví a mi sitio al lado de la cabecera y, mientras doña Elena la reconocía entre las piernas, dijo:

—Ya está bastante dilatada. Será pronto. Como he dicho, el niño viene boca arriba. Por eso el parto está siendo tan duro.

Julia gritó y agitó el cuerpo hacia abajo.

—Esto está bien —dijo doña Elena—. Ha llegado el momento de empujar. Empuja, empuja... —Julia gritaba y empujaba, con la cara morada por el esfuerzo.

—Empuja... empuja... —repitió doña Elena y de nuevo se puso a rezar.

Entonces Julia gritó:

—¡Ramónnnn! ¡Ramónnnn! —yo le miré las piernas. Había sangre, y, de repente, un cuerpecillo se deslizó a las manos de doña Julia. Se me abrió la boca y permanecí inmóvil. El mundo estaba en silencio y yo lo único que veía era aquella figurita. Luego oí el sonido. Un grito agudo y penetrante como si el niño estuviese enfurecido.

—Ya está aquí —dije—. Está vivo.

Julia miró fijamente al frente.

—Está vivo —dijo.

Doña Elena habló desde los pies de la cama.

—Es una niña, una niña hermosa. Algo pequeña, pero llena de vitalidad, demos gracias a Dios —rezaba silenciosamente mientras trabajaba.

Yo miré a la niña. Estaba sucia de mucosidad y de sangre. Doña Elena estaba atando un cordel alrededor del cordón que le salía de la tripa. Luego cortó el cordón con unas tijeras y levantó al bebé en alto para que Julia lo viese, con una mano bajo la cabeza y otra bajo el culito, como un sacerdote elevando el vino bendito. La cara de doña Elena era toda sonrisas, y yo vi lágrimas en sus ojos de anciana. Envolvió rápidamente a la niña en una manta y se la colocó a Julia sobre el pecho. Doña Elena sonrió, se secó las manos y le acarició la frente a Julia:

—Ahí tienes a tu hija. Y está sana.

Julia lloraba, con los ojos repletos de alegría. Yo también lloré mirando al bebé, con la boca todavía abierta. La niña movía las piernas y los brazos y apretaba los ojos cuando lloraba. Estaba viva. Viva. Pero la piel de la niña era oscura, tan oscura como la mía.

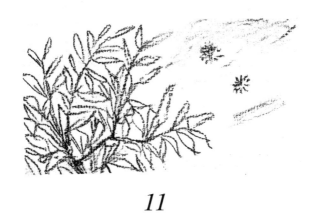

11

Observé a doña Elena mientras lavaba y pesaba a la niña en la cocina. Cuando Julia volvió a gemir, doña Elena dijo:

—Son los entuertos —y me entregó a la recién nacida. Yo me quedé de pie en la cocina agarrándola contra mi pecho. La niña dormía, pero le coloqué un dedo mío contra su mano y me lo agarró con sus deditos. Nuestra tez era exactamente del mismo color. Me acordé de mi madre y de lo que le hubiese gustado coger a la niña, su primera nieta. Y pensé en la pequeña Teresa y en su nacimiento, justo una estación antes de que viniesen los *Guardias*.

Acaricié el suave cabello de la cabeza de la niña y noté que el pecho se me henchía de amor y de pena. Estaba viva, a salvo; doña Elena la inscribiría en el registro con lo que hasta sería ciudadana de los Estados Unidos de América. Entonces, ¿por qué? ¿Por qué había de ser tan morena de piel? Iba a conocer muchos sinsabores.

—Julia está bien ahora —me dijo doña Elena desde la otra habitación—. Vuelve a traer a la niña.

Llevé a la niña con Julia y la coloqué a su lado. Julia se la arrimó al pecho, pero estaba dormida y no quería mamar.

—Más tarde, más tarde —dijo doña Elena con suavidad.

Me incliné sobre Julia.

—Es maravillosa, pero yo tengo que ir a ver a Óscar y a limpiar la iglesia. Y quizá a dormir un poco —estaba tan cansada que casi no podía mover ni los brazos ni las piernas.

—Que Julia se quede aquí unos días —me dijo doña Elena—. Así cogerá fuerzas y yo podré vigilar a la niña. Es pequeña —y volviéndose a Julia añadió—, pero está sana, gracias a Dios.

Me fui a ver a Óscar y le dije:

—Tienes una sobrina recién nacida, Óscar gorrión. Tendrás que cuidarla —sonrió con alegría. Le di de comer una *tortilla* que había traído de casa de doña Elena y luego me fui a la iglesia. El padre Jonathan estaba allí cuando llegué.

—Tienes aspecto cansado —dijo—. ¿Pasa algo? —sus rasgados ojos azules eran bondadosos detrás de sus gafas, y advertí que se había cortado el pelo rubio rojizo, por lo que su cuello parecía más largo.

Sonreí.

—Tengo una nueva sobrina. Nació hace un rato —me preguntó por el bebé, me dijo que se alegraba por nosotros y me mandó que me fuese a casa a descansar. Que me pagarían de todas maneras. Así que volví a nuestro colchón y me dormí hasta casi el atardecer.

Después de abrirme la puerta esa tarde, doña Elena se recostó en la mecedora, cerró los ojos y se durmió sentada. Yo entré silenciosamente en la sala de partos. Julia yacía de lado despierta, acariciándole la mejilla a la niña. Levantó la vista hacia mí y se le iluminaron los ojos.

—La voy a llamar Ramona —me dijo—. La pequeña Ramona, Ramona —le pasó la mano por la cabeza al bebé—. Yo seré un rayo de sol y entraré por tu ventana —cantó bajito. Yo me senté en el taburete a su lado y acaricié un bracito que se le había salido de la manta.

Julia sonrió.

—Me ayudaste tanto, hermana querida. No sé qué hubiese hecho sin ti. Sé que te ha debido resultar duro. Eres joven; no deberías tener que hacer todo esto.

—No fue duro. Tú fuiste muy valiente. Y tienes a tu niña. Está viva y doña Elena dice que está muy sana. Me ha parado en la iglesia a dar gracias a la Virgen —bajé la cabeza.

Julia me miró fijamente durante un minuto.

—¿Qué ocurre? —susurró—. ¿Le ocurre algo a Óscar?

—No, no ocurre nada. Está muy bien. Todo está muy bien.

—María, dime por qué te sientes desgraciada.

—No me siento desgraciada —me separé de ella porque tenía lágrimas en los ojos.

—¿Qué pasa? ¿Les ocurre algo a la niña o a Óscar que no me quieres contar? —preguntó, elevando la voz alarmada.

Yo me aterré.

—No. No.

—¿Entonces qué pasa?

Empecé a decir que no otra vez, pero Julia me gritó:

—¿Qué ocurre?

La voz se me quebró.

—Me temo que la niña va a ser morena, como yo. No se parece a ti. No será guapa. Doy gracias de que esté viva, pero, ¿y si se parece a mí?

Julia se me quedó mirando fijamente con la boca entreabierta. Hubo un silencio mientras dirigía la mirada de mi cara a la de la niña.

—No sabía que te sintieses así a causa del color de tu piel —dijo.

Yo asentí con la cabeza avergonzada.

Julia fijó la vista en la pared que yo tenía detrás, pensativa. Al volverse hacia mí, yo agaché la cabeza.

—¿No te das cuenta de lo buena que eres? ¿No sabes lo orgullosa que estoy de ti? —dijo—. ¿No sabes lo guapa que te estás poniendo? ¿Y lo feliz que yo sería de que Ramona fuese como tú?

Sacudí la cabeza con lágrimas resbalándome por las mejillas.

—No lo sabía —farfullé.

—Eso es típico de ti —Julia me sonrió y me hizo bajar la cabeza hacia ella. Lloré abrazada a mi hermana.

Julia volvió a casa con la recién nacida y jugábamos con ella muchas horas todos los días. La pequeña Ramona canturreaba, daba patáditas con las piernas y, cuando yo le tocaba la mejilla con el dedo doblado, se volvía con la boca hacia él como para tratar de mamar. Tenía el pelo largo y se lo peinábamos de diferentes maneras. Cuando estábamos en el piso, Julia llevaba a la niña atada contra el pecho y el estómago con una toquilla, al estilo antiguo, como las madres todavía llevaban a veces a los recién nacidos en nuestro país.

Yo también seguía buscando comida y dinero para pagar nuestra parte de la renta. Vendí tres cuadros más, encontré un trabajo para fregar platos en un restaurante dos noches a la semana, y trabajaba unas horas todos los días en la iglesia, donde a veces me daban víveres. Julia cuidaba a las niñas de Marta mientras ella estaba en su trabajo, pero Marta no me encontró un puesto de limpiadora como el suyo. Por estar criando a Ramona, Julia tenía que comer incluso más, pero, aún así, nos encontrábamos en mejor situación que antes. Yo estaba muy contenta de haberme fiado del padre Jonathan. Cuando podía también practicaba mi inglés y hacía dibujos de la niña para enviárselos a *mamá* que nos contestaba con breves cartas asegurándonos que Teresa seguía viva.

Con la llegada de la primavera, el mundo pareció revivir y con el buen tiempo la gente salía a raudales de las casas. Los niños jugaban en las aceras y, en las calles, había grupos de chicos y chicas de mi edad que haraganeaban en torno a los coches y junto a las puertas escuchando música y flirteando unos con otros, y mientras, en los deteriorados rellanos de las escaleras se sentaban las personas mayores a contemplar la actividad que había abajo.

Una mañana Tomás llamó a nuestra puerta. Al abrirla, me dijo:

—Trae a Óscar y ven conmigo deprisa. He escondido algo detrás para que no lo roben —a mí se me fue una mano al collar mientras miraba a Julia, que movió la cabeza afirmativamente, así que Óscar y yo seguimos a Tomás detrás de nuestra casa. Tomás retiró unos tablones y sonrió. Luego se encogió de hombros y continuó—: he reconstruido un coche de juguete para Óscar y las niñas de Marta, incluso a lo mejor también para el bebé de Julia —se retiró unos mechones rizados de la cara. Óscar se subió al coche radiante. Las ruedas no eran iguales, estaba oxidado y había que tirar de él con una cuerda, pero funcionaba—. Algún día tendré mi propio taller de reparaciones —añadió Tomás sonriendo jovialmente—. Por eso estoy estudiando tanto inglés —le miré con asombro. Yo no sabía que las personas como nosotros pudiesen tener un taller en el norte—. Vamos a llevar a Óscar al parque —dijo finalmente.

Tomás empujó a Óscar por las calles, y yo me sentía orgullosa y mantenía la espalda muy derecha mientras absorbía con la cara el calor del sol. Me había lavado el pelo esa mañana y lo sentía caliente sobre los hombros. Era como si los brazos y las piernas me encajasen mejor que el año anterior. Miré a Tomás y me sentí más feliz que en ningún otro momento desde que nos habíamos marchado de casa. Íbamos uno al lado del otro de manera que nuestros hombros a veces se tocaban.

Finalmente, llegamos al parque y casi me eché a llorar al ver todos los árboles plagados de hojas de primavera. Era como en nuestro país, en que todo se cubre de verde en la estación de las lluvias cuando se levanta la niebla por la mañana para dar paso al penetrante cielo azul. Las palomas remontaban el vuelo por encima del parque y yo pensé en el águila, que en cierta ocasión vimos en las montañas, que se elevaba escudriñando con los ojos los matorrales y los sembrados. Los paseos del parque estaban concebidos como los radios de una rueda, encontrándose como se encuentran en la plaza las calles de un pueblo que está cerca de donde yo vivía. Un disco amarillo pasó por el aire como una pelota, de una persona a otra.

—Un *frisbee* —dijo Tomás.

—Un *frisbee* —repetí yo, y lo mismo hizo Óscar.

Íbamos caminando despacio cuando vimos en un rincón del parque a un grupo de gente del que salían risas infantiles.

—Quiero verlo —suplicó Óscar, así que nos encaminamos hacia el grupo. Al acercarnos, vimos lanzar al aire, ininterrumpidamente, una serie de pelotas pequeñas.

—Es un malabarista —dijo Tomás con entusiasmo.

Óscar se bajó del coche y se acercó al grupo. Yo le seguí tratando de mantenerle agarrado por el hombro. En el centro del grupo de gente había un hombre vestido con un traje blanco y negro muy ajustado y la cara maquillada de blanco y negro también. La única nota de color era el rojo con que tenía pintados los labios y las pelotas que tiraba al aire. Óscar no hacía más que empujar hacia delante hasta que estuvo casi al lado del hombre. Luego se sentó en la hierba con la boca abierta sonriendo. Contemplaba con asombro las pelotas mientras movía las manos como si estuviese haciendo él los juegos malabares. El hombre se dio cuenta de los movimientos de Óscar, cogió las tres pelotas con una mano, se inclinó ante él y le tocó la nariz con un dedo. Óscar se echó a reír, y el hombre se agachó, cogió una flor amarilla oscura de al lado de su pie y se la entregó al niño. Los otros niños se rieron y aplaudieron. Yo miré hacia Tomás que estaba detrás de nosotros en el grupo y, al verme, arqueó las cejas y me hizo un guiño.

Después de irse el malabarista, Tomás y yo nos sentamos juntos en un banco del parque, contemplando a Óscar coger flores amarillas y escuchando lo que Tomás me dijo que era música popular y que venía de una radio que había cerca. Cantaban los pájaros como si se sintiesen felices de que el inverno hubiese llegado a su fin, y un gato se paseaba cerca de nosotros recordándome al gatito de la *Señora Quetzal*. Tomás sonreía para sí y seguía el compás de la música con el pie. Yo dirigí la vista hacia los árboles. La luz se reflejaba en las hojas nuevas, amarillo verdosas, que parecían bailar al son de la brisa. Entonces Tomás acercó una mano a la mía de manera que se tocaron y, a través de sus dedos, percibí el calor de todo su cuerpo.

Óscar volvió a donde estábamos nosotros y se me subió encima con las flores en la mano. Yo cogí una de las redondas flores amarillas y me la puse detrás de la oreja. Tomás se volvió para poder verme la cara directamente.

—Se llaman dientes de león —dijo—. Te favorece. Hace juego con el medallón —yo me ruboricé y bajé la vista.

—*Gracias* —dije, pero entonces volví a levantar la vista y le miré fijamente a los ojos.

Esa noche, Tomás llevó a su casa a las hijas de Marta tirando del coche y, mientras se dormía, yo le conté a Óscar el cuento del gorrión que al cantar emitía colores. Al contárselo, la canción del gorrión difundía todos los colores del arco iris que nos llegaron a Julia, a Óscar, a Ramona y a mí. Luego los colores bajaron las escaleras y fueron por las calles hasta casa de Marta, donde se enroscaron en Tomás, en Marta y sus niñas, rozaron a doña Elena y al padre Jonathan y se encaminaron hacia el sur hasta llegar finalmente a *mamá* y a Teresa.

12

Unos días después, Julia encontró una colocación para fregar platos por las noches. También cuidábamos de las hijas de Marta, y yo seguí trabajando en la iglesia y haciendo otras faenas como limpiadora. Todo el dinero que podíamos se lo enviábamos a *mamá* y Teresa, y con la comida de la iglesia nos pusimos más fuertes.

Por entonces recibimos otra carta de *mamá* diciendo que Teresa estaba más débil y nosotras le escribimos y mandamos un poco más de dinero. Mientras cerraba la carta, Julia me miró con la cara tensa y me dijo:

—Creo sencillamente que tenemos que conseguir que vengan pronto aquí. Tengo tanto miedo de que no lo logren —estaba terminando de dar de mamar a Ramona y dejó a la niña en el regazo—. Sé lo que tengo que hacer, pero no puedo.

—¿Qué quieres decir? —pregunté.

Se apretó la frente con la palma de la mano y le vi tal expresión de angustia, que se me retorció el estómago.

—Julia, ¿de qué hablas? ¿Qué otra cosa podemos hacer? —Ramona empezó a llorar y yo la cogí.

—No me preguntes —dijo Julia—. Haz como que no lo he dicho —se levantó y salió del cuarto. Yo mecí a Ramona hasta que se calló. No entendía lo que Julia había querido decir, pero estaba asustada.

Sin embargo, a última hora de la tarde, Tomás apareció en nuestra puerta muy excitado.

—No podía creerlo —dijo—. Acabo de ver uno de tus dibujos de santos en madera en el escaparate de una tienda diferente a la que tú los vendes. Uno estaba marcado como vendido, ¡y el otro indicaba treinta y nueve dólares!

—¿Treinta y nueve dólares? —pregunté con voz entrecortada.

—Sí, sí, eso era lo que ponía la etiqueta —Tomás entró y se sentó en uno de los sofás—. Así que entré y pregunté por ellos y el tendero me dijo que estaban hechos por una joven ¡que se había convertido en una artista importante!

—¿Yo?

—¡Sí, tú! —exclamó, agitando las manos en el aire. Le brillaban los ojos azules y tenía las cejas arqueadas por la excitación.

Miré fijamente a Tomás, casi sin poder comprender lo que había dicho. Mi trabajo. Treinta y nueve dólares. Dinero para traer a *mamá* y a Teresa. Una artista importante. Podía realmente llegar a ser una artista. Me senté a su lado en el sofá, estupefacta.

Después de marcharse Tomás, estuve buscando maderas hasta que oscureció. Esta vez haría que el dueño de la tienda me pagase mucho más por mis dibujos. El hombre de la guitarra volvió a visitar nuestro piso esa noche y, antes de que Julia se fuese al trabajo, todos cantamos juntos alegres canciones. Mientras Ramona y Óscar dormían, yo escribí de nuevo a *mamá* y le conté lo de mis dibujos.

Al día siguiente hacía sol y el cielo estaba despejado. A última hora de la tarde, Julia llevó a Ramona, a las hijas de Marta y a Óscar detrás de casa mientras yo me quedaba para trabajar en un dibujo. Aún estaban allí cuando Tomás llamó a la puerta. Yo la abrí, impaciente por enseñarle el dibujo que había trazado en la madera.

—Hay una carta de México —dijo.

La cogí y me senté en el sofá. «Julia, María, Óscar —empezaba la carta de la amiga de mamá—: Se me parte el corazón por tener que deciros esto, pero han cogido a vuestra madre. Ha desaparecido, la han devuelto a vuestro país.»

Empecé a temblar tanto que Tomás me quitó la carta y él mismo la miró.

—¿Dónde está Julia? —preguntó.

La mente se me quedó como vacía y no paraba de temblar. Poco después Julia estaba ya de vuelta en el cuarto, rezando de rodillas, y Óscar lloraba.

—María, túmbate —me dijo Tomás—. Voy a buscar a Marta y a doña Elena —me recliné en el sofá mientras él me ponía una manta por encima.

Dándome vueltas la cabeza, cerré los ojos y pensé que *mamá* estaba debajo del *amate* en casa llamándome mientras yo trepaba al árbol hasta que, finalmente, me quedaba sola en el cielo y mi madre había desaparecido. Me acurruqué como un ovillo bajo la manta, sin moverme, viendo los ojos de la Virgen que miraban hacia delante inexpresivamente, como si no le importase.

Pasó el tiempo y alguien empezó a sacudirme con fuerza. Me incorporé y abrí los ojos. Julia estaba sentada delante de mí cogiéndome los brazos con las manos. Doña Elena, Tomás y varios hombres estaban rezando.

—María —dijo Julia, apretándome más los brazos—, la carta dice que Teresa está todavía en México. Con Beatriz, la mujer que escribe. Ella no puede mantener a Teresa durante mucho tiempo. Tenemos que ir a buscarla.

—No creo que podamos —dije apagadamente.

—¡No digas eso!

—No sé si vamos a poder —repetí—. Tal vez nos muramos todos... Como *papá* y Ramón, y ahora *mamá*. A lo mejor no le importa a la Virgen. Tal vez no sea ella más que una mentira.

—¡Eso no es verdad! —gritó Julia—. No es verdad, ¡no es verdad!

Me aparté de ella.

—Están muertos y ahora *mamá* probablemente también.

Julia me abofeteó. La miré, y me volvió a abofetear.

—¡Calla!, ¡calla! —me gritó a la cara. Óscar se tiró contra ella y empezó a chillar y yo vi que doña Elena cogía a Julia por los hombros para apartarla.

Yo contesté a Julia gritando:

—Mamá se ha ido. Uno a uno, todos nos iremos. ¡No lo conseguiremos!

Mi hermana parecía estremecerse ante mis ojos, con la mano aún levantada para volverme a pegar, pero sentí que las lágrimas me resbalaban por la cara. Luego Julia me agarró y yo me eché hacia delante en sus brazos.

—*Mamá, mamá* —grité mientras me sostenía—. Necesito a *mamá*. Yo no puedo salvar a la familia. Necesitamos a *mamá*. Pobre *mamá*.

Esa noche, después de irse los otros, los hombres se quedaron todos en la otra habitación para dejarnos más intimidad. Óscar tenía los ojos cerrados, pero hacía ruido al respirar mientras dormía. Yo yacía despierta en el colchón y Julia estaba sentada a mi lado dando de mamar a la niña. Tenía la cara agotada.

—Puede que nunca sepamos lo que le ocurre a *mamá* —cuchicheó y permaneció en silencio unos minutos más. El único ruido era el que hacía la niña al chupar—. Pero no podemos perder las esperanzas —dijo dejando a la niña.

Yo empecé a llorar de nuevo.

—Julia, echo tanto en falta a *papá* y a *mamá*. No quiero que sepas cuánto. Y papá dijo que yo tenía que salvar a la familia, pero no he conseguido suficiente dinero para traer a *mamá* y a Teresa. ¿Crees que Dios se ha llevado a *mamá* para castigarnos?

—No, hermanita, Dios no haría eso.

—Entonces, ¿por qué? ¿Por qué habían de llevarse a *mamá*? —me eché hacia atrás—. Es siempre tan buena. Siempre cree tanto. ¿Por qué *mamá*?

—No lo sé, María. No lo comprendo —Julia sacudió la cabeza; luego miró a la niña y después a mí—. Voy a dejar a Ramona contigo y me iré a buscar a Teresa. Sencillamente tendremos que conseguir dinero para darle a Ramona leche condensada en biberones.

Miré a Julia inexpresivamente y me di cuenta de lo que *papá* hubiera querido que yo hiciera.

—No, tú no —dije—. Nunca podríamos comprar leche condensada. Yo soy la que tiene que ir a buscar a Teresa.

Los ojos de Julia se dulcificaron.

—No, no puedo dejarte, hermana. Es demasiado peligroso. Marta y algunos de los hombres están tratando de encontrar un viaje hacia el sur para mí. Iré yo. Tú, no.

—Pero tú no puedes. Ramona es demasiado pequeña.

Te necesita, no tenemos dinero para la leche y yo sé más inglés que tú. Y yo sé leer y escribir, además soy más fuerte. Yo soy la que debe ir —Óscar se despertó y empezó a lloriquear de nuevo, así que lo cogí en brazos y le mecí.

Entonces fue la niña la que se puso a llorar. Julia la balanceó en los brazos distraídamente.

—No, María, no. Piensa en lo que será viajar con Teresa, ¡piénsalo! ¡Ni siquiera podrías meterla en un cajón! La Inmigración os oiría. Yo soy la que tiene que hacerlo.

Me quemaban la cara y el cuerpo.

—Julia, yo voy, no tú. No puedes impedírmelo. Si tratas de hacerlo, me marcho esta misma noche.

—¡No digas eso! —exclamó Julia casi gritando—. Te sientes culpable porque *papá* dijo que tenías que cuidar de nosotros. ¿Tienes idea de lo que supondría para mí el perderte?

Yo me tranquilicé mucho.

—Sabes que puedo hacerlo mejor que tú, Julia. Y Ramona te necesita.

Julia contempló a su bebé y luego me miró a mí.

—Pero os cogerán a las dos. A ti y a Teresa. Os perderemos a las dos.

—No, no nos perderéis —dije—. Lo conseguiremos.

La niña se calló. Julia dejó de mover la cabeza y me miró fijamente, con los ojos clavados en los míos, tratando de descubrir algún indicio de debilidad en mí. Pero yo era fuerte.

Finalmente apartó la cara, permaneció en silencio durante un momento, y balbuceó:

—Entonces irás con dinero. No puedo enviarte sin él.

Me quedé perpleja.

—¿Cómo?

—No te lo voy a decir, pero saldré por la noche. No dirás nada de ello ni a Marta, ni a doña Elena, ni a Tomás. Nada a ninguno de ellos, ¿lo oyes?

Los ojos se me agrandaron y se me abrió la boca.

—No, Julia —me puse roja como un tomate—. ¡Así no!

Julia escudriñó el otro lado de la cortina y yo apreté un lado de la cabeza de Óscar contra mi pecho, cubriéndole la otra oreja con la mano.

—Debería haberlo hecho antes. De haber sido así, estarían aquí. A *mamá* no se la hubiesen llevado.

—Tiene que haber otra forma. ¡Eso te matará!

—Bueno, pues no se me ocurre otra cosa —la voz se le quebró—. No me pedirás nunca detalles, ¿comprendido?

—¿Y mis dibujos? Puedo seguir trabajando en ellos. Vender más.

—No será lo bastante deprisa. Debería haberlo hecho antes. Pero, es que no podía —se atragantó en las últimas palabras.

Yo no dormí esa noche, sino que permanecí despierta en el colchón, observando a Julia, que estaba quieta pero sin dormir. *Mamá* ha desaparecido, pensé, y Julia no lo va a conseguir. Y nunca se recuperará de ello.

Julia tenía unas ojeras tan oscuras mientras daba de mamar a Ramona a la mañana siguiente, que yo me preguntaba si volvería a ser guapa alguna vez. Óscar lloriqueaba sobre el colchón y le di de comer una *tortilla* mientras seguía tumbado. Yo sentía el cuerpo tan pesado que apenas podía mover los brazos y las piernas.

—Julia, tengo que ir a la iglesia a limpiar —dije algo después. Asintió con la cabeza sin mirarme.

Sintiéndome mal del estómago, recorrí las calles hasta llegar a la iglesia y, al abrir las pesadas puertas, supe que tenía que conseguir dinero como fuera. El interior estaba oscuro y fresco. Hice una genuflexión y me santigüé al pasar ante el altar camino de la capilla en que estaba Nuestra Señora, bella y serena. De nuevo encendí una vela y caí de rodillas: «Virgencita, Virgencita —oré—. Por favor, ayúdanos. Salva a *mamá*. Ayúdame a conseguir dinero de manera que Julia no tenga que soportar tanto dolor. Haz que el padre Jonathan sepa qué hacer. Perdóname por no confiar en ti algunas veces —luego dije a la imagen—: tengo que encontrar ahora al padre Jonathan. Por favor, ayúdale a que se le ocurra algo.» Hice la señal de la cruz y entré en el despacho.

La secretaria rubia estaba sentada en la silla de su escritorio y sonrió al verme. Traté de hablarle en inglés.

—Por favor, querer ver padre Jonathan. Importante.

—No —dijo, hablando despacio—. Se ha marchado. Ha ido a una reunión importante. Por dos semanas. ¿Puedo ayudarte?

Noté que la sangre se me iba de la cara y que los ojos se me salían de las órbitas.

—No, no se ha marchado —dije. Y para mis adentros grité: «Señora, ¿por qué no nos ayudas?»—. ¿El padre Jonathan? —Volví a preguntar en voz alta.

La mujer rubia contestó:

—Se ha marchado, se ha marchado. ¿No puedo ayudarte yo?

Dije que no con la cabeza, salí del cuarto y fui corriendo a la iglesia hasta tener a la vista a Nuestra Señora, que seguía con la mirada fija hacia delante, como si no me hubiese visto. Como si *mamá* y Julia ni siquiera la importasen.

—¿Por qué? ¿Por qué? —le increpé. El eco de mi voz resonaba contra las paredes. Recorrí la iglesia buscando algo que robar, pero todo estaba sujeto. Finalmente volví a mirar a Nuestra Señora—. ¡No te importamos ninguno de nosotros! —grité al salir por la puerta. Sentada en los escalones de la iglesia con la cara entre las manos, lloré por Julia y por mi madre. Yo no servía para nada; ni tan siquiera se me ocurría qué robar.

Finalmente levanté la vista. La *Señora Quetzal* me estaba mirando. Llevaba la toquilla hecha girones, tenía unas ojeras muy profundas y estaba temblando.

—¿Qué pasa? —dije.

—He venido a prevenirte, querida —respondió levantando su temblona mano.

—¿De qué habla?

—Dicen que no ven espíritus, pero yo sí. Tengo miedo por ti, querida —me fue a coger con las dos manos.

—No entiendo.

—Dirígete a los juiciosos. No hables a los trastos viejos inflexibles. Y no salgas corriendo sin saber a dónde vas. Vosotros los jóvenes podéis ser estúpidos, tan estúpidos como las sombras ante el viento —me quedé mirando sus penetrantes ojos de anciana, y entonces me acordé de doña Elena. Movió la cabeza afirmativamente como si supiese lo que yo estaba pensando.

Dejé a la *Señora Quetzal* sola en los escalones de la iglesia, con la maltrecha toquilla envolviéndole los hombros. Cuando doña Elena abrió la puerta de su piso yo incliné la cabeza.

—Doña Elena —dije suavemente—, la necesito para que me diga qué debo hacer —me condujo a la cocina. Me pareció que tenía la cara envejecida, como si ella también hubiese dormido poco. Me dio una taza de café y se sentó a la mesa a mi lado. Yo no podía mirarla a los ojos—. No sé qué hacer —le dije—. Yo soy la que va a ir a buscar a Teresa, pero Julia me va a conseguir el dinero. Me dijo que no le contase a nadie cómo va a conseguirlo, pero temo por ella —la cara me quemaba con la fiebre de la traición y me quedé mirando la mesa fijamente—. Ella no sabe que yo he venido a verla.

Doña Elena se pasó el revés de la mano por la frente y se dirigió hacia la ventana de la cocina. No dijo nada durante un buen rato, y yo estaba demasiado avergonzada como para mirarla. Finalmente se sentó de nuevo a la mesa extendiendo las manos y mirándoselas.

—Yo debería haber ayudado más antes —dijo con la voz ronca y tensa—. Tenemos que impedírselo. Después de lo que Julia pasó con los *Guardias*, puede no volver a reponerse de ello —permaneció sentada en silencio un poco más—. Venderé mi San Isidro.

—¿Su San Isidro? Si dijo usted que era de su bisabuela.

—Sí, es lo más valioso que tengo. Es poco común. Apenas hay otros. Me lo tasaron una vez en un anticuario —suspiró—. Es lo único que puedo hacer. He visto a Julia sufrir mucho —me puso su suave mano sobre la mía—. Os tengo afecto, pequeña María. A ti, a tu hermano y a tu hermana. Necesitarás de todas tus fuerzas para traer a Teresa, y tampoco debes preocuparte por Julia.

—*Gracias* —susurré—. *Gracias*, doña Elena.

Doña Elena se fue a la habitación de delante y trajo la talla del santo en un establo con un toro y un ángel. La colocó encima de la mesa. El cuerpo del santo era firme y delgado, como lo había sido el marido de Julia, pero tenía la cara bondadosa y cansada, como la de *papá*.

Miré a doña Elena a la cara.

—Usted dijo que era lo único que tenía de cuando era pequeña.

Ella asintió con la cabeza.

—Por eso quiero que lo contemples muy detenidamente antes de que lo venda. A veces aún oigo el viento en él y huelo las praderas. Y quiero que tú lo experimentes.

Así que me quedé mirando la vieja talla, fijándome en sus detalles hasta que sentí el viento. Seguí contemplándola y las hierbas aromáticas de la cocina de doña Elena se fusionaron. Me olía a plantas extrañas en lugares remotos y oía el canto de los niños en las procesiones.

—Iré a vuestro piso más tarde con el dinero —susurró doña Elena.

Le di las gracias, me fui a casa, y esperé, pensando en mi madre y preguntándome qué sería de Teresa. Julia y yo no nos miramos y cuando de vez en cuando Óscar lloraba, le cogía en brazos y le mecía.

A primeras horas de esa tarde, llegó doña Elena a nuestra puerta. Miré a Julia, que me estaba observando. Doña Elena se dirigió hacia Julia, cuyo semblante había perdido el color:

—Tengo algo de dinero ahorrado —dijo—. Trescientos dólares. Probablemente lo suficiente para que tú o María recojáis a tu hermana —alargó la mano con el dinero.

Julia se echó a llorar.

—¿Está segura, doña Elena? No deberíamos aceptar su dinero.

—Sí, estoy segura de ello, niña. Quiero que lo cojáis —se acercó a Julia y la estrechó entre sus brazos.

Yo me adelanté.

—Soy yo la que va a ir, doña Elena. No Julia —luego me dejé caer en el sofá, medio mareada de alivio. Ese día lloré por *mamá*, pero di gracias a Dios por salvar a Julia.

A la mañana siguiente fui a hablar con la secretaria de la iglesia antes de empezar a limpiar.

—¿Estás bien? —preguntó despacio, con cara preocupada.

Contesté que sí con la cabeza, luego dije en inglés:

—Yo marchar. Algún tiempo. Mi hermana recoger víveres, y limpiar. Necesitar que padre Jonathan rece por mi madre —se me llenaron los ojos de lágrimas y me santigüé, después repetí lo dicho dos veces, hasta que la secretaria movió la cabeza afirmativamente.

Haciendo una pausa cada pocas palabras, trató de hablar conmigo.

—El padre Jonathan... tratando de encontrar... ayuda... para personas... como tú. Reunión importante... de gente de iglesia... para que estéis a salvo.

Lo dijo dos veces más y contesté:

—*Gracias*. Tú decir padre Jonathan *muchas gracias* —luego pensé, ¿hay esperanza para nosotros? ¿Para personas como nosotros? ¿Como ya había mencionado en otra ocasión?

Me invadió un gran agotamiento cuando empecé a limpiar la iglesia. Me senté entonces un momento en un banco con los brazos que se me caían como flojos. Pero luego me levanté y seguí con mi trabajo. Finalmente me dirigí hacia Nuestra Señora, pero no podía mirarla a la cara. «Gracias por salvar a Julia —mascullé— Gracias, y siento haberte gritado y haber pensado que no te importaba —le contemplé la cara durante un segundo. Seguía mirando hacia delante, sin pestañear, sin mover la boca—. Por favor, no nos castigues por lo que hice. Te prometo que siempre creeré.» Me marché andando hacia atrás, pero al cerrarse las puertas de la iglesia detrás de mí, volví a dudar.

13

Esperamos dos días más por si alguien encontraba un viaje hacia el sur. Durante esos días Julia me preguntó dos veces más si seguía con la intención de ir. Yo contestaba pausadamente que sí, y que si ella trataba de impedírmelo, me marcharía en el acto. Traté de explicar a Óscar que me iría y que traería a Teresa, pero siempre que intentaba hablarle de eso rompía a llorar y se agarraba a mí.

La segunda noche Tomás vino con Marta a recoger a las niñas, entonces le dije a Óscar que se fuese a la habitación de al lado para poder hablar en privado. Julia, con los ojos bajos, dijo:

—María piensa que debe ir ella, no yo.

Marta se volvió hacia mí:

—¡Pero, Dios mío, eres tan joven!

—¡Es tan peligroso! —dijo Tomás, pasándose la mano por el pelo—. Y todavía no hemos encontrado ningún viaje, y tú ni siquiera sabes el camino.

Vi que Julia tenía lágrimas en las mejillas.

—Eso es de lo que tenemos que hablar con vosotros —dije yo—. ¿Y si...? —miré a Julia y lo dije deprisa—. ¿Y si hiciese autoestop?

Julia abrió la boca para hablar, pero antes de que pudiese decir nada, Marta gritó, agitando las manos en el aire:

—¡Hacer autoestop! *¡Ave María Purísima!* —volvió los ojos hacia el techo—. ¿No sabes lo que ocurre cuando una chica hace autoestop? ¡Estás más loca que una cabra!

—Entonces, ¿y un autobús? —miré a mi alrededor. Óscar estaba en la puerta escuchando.

—Pero un autobús cuesta mucho dinero —dijo Tomás.

—Lo tenemos —contestó Julia—. Nos lo ha dado doña Elena.

—Ah —suspiró Marta—. Es una mujer muy buena. Un regalo de Dios —Julia asintió con la cabeza.

—¿Suficiente dinero para el viaje de ida y de vuelta? —preguntó Tomás.

—No sé —dije—. Trescientos dólares.

—Eso no es bastante —respondió Tomás, yendo hacia la ventana abierta—. No lo es volviendo con una niña. Y tendrás que hacer que os lleven parte del camino —se volvió y me miró fijamente, cayéndosele un rizo del pelo sobre parte de la frente—. Y es tan peligroso. Yo casi me muero cruzando.

—Lo sé. Lo sé —gritó Julia. Óscar atravesó la habitación corriendo hacia mí, y yo me agaché para estrecharle entre mis brazos.

—Tomás —indicó Marta—, podemos darle nuestro mapa.

—Sí, sí —dijo Tomás, paseando por la habitación—. Y conozco a alguien que te hará una tarjeta falsa. Cobra setenta y cinco dólares, y si la miran con detenimiento, se darán cuenta de que está falsificada. Pero si la Inmigración no hace más que echarle un vistazo, servirá.

Tomás continuó paseando por el cuarto. Luego, de repente, se le iluminó la cara. Se detuvo y me tocó en el hombro.

—Ya sé —dijo—. Hay una ciudad a mitad de camino, en Illinois, donde hay muchos inmigrantes. Son gente de México y de Texas que siguen las cosechas. Si llegas hasta allí en autobús, alguno de ellos puede que vaya hacia el sur, y en aquel lugar hay una buena mujer. En cierta ocasión me alojó y me dio de comer durante una semana. Se llama Ana Aragón, y si no está, otros te ayudarán. Y si nadie lo hace, podrías volver a coger el autobús.

—Oh, Tomás —dijo Julia—. Sería tan buena cosa que alguien la ayudase. Tengo tanto miedo de que vaya sola.

Marta rodeó a Julia con el brazo.

—Sé lo que es la espera —dijo—. Juro por Dios que es casi peor que ir uno mismo —Julia asintió con la cabeza.

Yo fui a nuestro colchón y saqué mis dibujos.

—Tomás, cuando termine estos, ¿quieres intentar venderlos en la tienda, en la que vendieron mis obras por tanto dinero? Será una ayuda para Julia y para Óscar mientras yo esté fuera —Tomás movió la cabeza afirmativamente y me sonrió con dulzura. Luego me dio las señas de los hombres que me harían la tarjeta de identidad falsa.

A la noche siguiente, ya tenía una tarjeta plastificada, para evitar que se mojase, y Julia y yo cogimos a Óscar y a la niña y fuimos a ver a Tomás y a Marta otra vez. Hablamos juntos en la cocina, lejos de los huéspedes de Marta. Ramona lloriqueaba y Marta cogió a la niña de los brazos de Julia y esta se agachó y mantuvo a Óscar abrazado.

—He venido a despedirme —dije, mirando a Tomás y luego a Marta—. Y a coger el mapa y a dar a Tomás mis dibujos para que los venda.

Tomás cogió los dos pedazos de madera que yo llevaba.

—Son buenos, pero tienen los ojos tristes —me dijo.

—A causa de *mamá* —balbuceé.

Tomás sacudió la cabeza con ternura.

—He hecho éste para ti —dije, y saqué otro trabajo de una bolsa. En un pedazo de madera casi blanca, había dibujado un sol luminoso irradiando su luz por el cielo. La luz se descomponía en azul y amarillo, y bailaba sobre el verde del mar, que era como yo imaginaba el océano. El agua y el firmamento se entretejían como una puesta de sol y sostenían a un niño flotando. Se lo entregué a Tomás.

Lo miró.

—*Gracias* —dijo. Luego me abrazó. Finalmente se apartó—. Voy a buscar el mapa —la voz se le quebró.

Se fue al otro cuarto y luego volvió. El mapa estaba gastado por los dobleces y resultaba tan frágil como el dibujo del niño que yo había hecho para Óscar. Todo estaba en inglés y yo no reconocía nada, pero Tomás me pintó un círculo a lápiz:

—Esto es Chicago —de un movimiento rápido desplegó todo el mapa—. Y esta es la frontera con México, en Matamoros.

Tragué saliva.

—El autobús te llevará de Chicago a Onarga —dijo Tomás, trazando el recorrido con un dedo—. Ahí es donde encontrarás a Ana Aragón —tenía los ojos suaves y húmedos.

Marta fue hacia una lata de café y sacó dinero.

—Tengo diez dólares. Tómalos —me dijo.

—Y yo tengo doce dólares —añadió Tomás.

—No puedo coger vuestro dinero —les dije a los dos—. Ya habéis hecho bastante.

Marta suspiró:

—Ay, niña, lo necesitarás —Tomás estuvo de acuerdo, y Julia me hizo un gesto solemne con la cabeza.

Marta se me acercó y me cogió la cara entre las manos.

—Que Dios te bendiga, María. Nos ocuparemos de Julia y de los pequeños mientras tú estés fuera. Y hay una cosa que puedo decir, niña, y es que tienes sentido común.

Marta y Julia se dieron la vuelta y salieron llevándose a Óscar con ellas. Tomás me cogió y me abrazó con fuerza manteniéndome agarrada contra él. Yo noté que su calor se me propagaba por todo el cuerpo y me aparté para poder verle la cara. Vi que tenía lágrimas en sus ojos azules.

—Pensé dejar el collar a Julia, pero luego decidí llevarlo puesto, para que me dé suerte —susurré.

Tomás sonrió.

—Sí, llévalo. Te servirá para que te acuerdes de todos nosotros y de lo mucho que deseamos que vuelvas. Ten cuidado —dijo suavemente y me besó en la frente.

Cuando salíamos del piso, Julia me dijo:

—Yo llevaré a Óscar y a Ramona a casa para que puedas despedirte de doña Elena. No te voy a preguntar si le hablaste a ella del dinero, pero si lo hiciste, querida hermana, te estoy agradecida. Muy agradecida.

Poco tiempo después doña Elena se arrodillaba conmigo delante de Nuestra Señora y de los santos para rezar. Yo miré a la Virgen algo perpleja y hubiese deseado tener el valor de preguntar a doña Elena si dudaba alguna vez. Cuando doña Elena fue a la cocina, miré el sitio donde había estado su talla de San Isidro. Estaba vacío y la lucecilla había desaparecido.

Luego doña Elena volvió al cuarto trayendo una bolsa de plástico con aspirina infantil, vitaminas, *azafrán,* para la fiebre, y una botellita diminuta sellada.

—En la botella hay una medicina que hará que tu hermanita esté callada cuando crucéis —dijo—. Pero ten cuidado con ella. No le des más que una o dos gotas. Mucho más podría hacerle daño.

—Una o dos gotas nada más —repetí. Luego dije muy bajo—: No sé cómo darle las gracias, doña Elena.

Cuando me marchaba, la anciana me cogió la cara entre sus manos, y de nuevo me volvió a oler a musgo y helechos.

—Que los santos te acompañen —dijo.

Me preparé para partir temprano a la mañana siguiente, cosiendo la mayor parte del dinero y la tarjeta de identidad al dobladillo de mi vestido, para que estuviese a salvo, y la bolsa de plástico de las medicinas la metí en la mochila de Julia que me colgó del cuello. Di un beso a Ramona mientras dormía y llevé a Óscar en brazos hasta la puerta. Cuando le dejé en el suelo, me rodeó las caderas con los brazos y rompió en sollozos.

Julia dijo:

—María, si tienes que hacer autoestop, no te metas en un coche con un hombre solo. Y quédate cerca de la portezuela para poder llegar a la cerradura —hizo la señal de la cruz—. Si Teresa está muy mal, compra medicinas para que se fortalezca antes de cruzar la frontera hacia aquí. Y recuerda, no pierdas la esperanza por *mamá.* A lo mejor se vuelve a escapar —luego se me acercó y me tocó la frente con la suya—. Oh, te quiero tanto, hermana. Recuerda que somos una familia, que no estás sola —se le quebró la voz y dejó de hablar durante un momento, luego añadió—: Que Dios te vuelva a traer a mí —sonrió entre las lágrimas—. *Papá* siempre decía que tú salvarías a la familia.

Me agaché hacia Óscar:

—Óscar, gorrión, volveré. Con Teresa. Tienes nuestros retratos en las paredes para que te ayuden y Julia se ocupará de ti —arrimé su cuerpecillo contra el mío y advertí lo frágil que era la vida que le animaba. Finalmente, Julia le cogió en brazos y me volvió a besar. Yo traspasé el umbral de la puerta, bajé la calle y cogí el *El* hasta la estación de autobuses de la ciudad baja.

Cuando llegué a mi parada, descendí las escaleras hacia el bullicio, el ajetreo y el ruido del centro de la ciudad. Altos almacenes se elevaban en las aceras y exhibían maniquíes de plástico vestidos con extraños y elegantes trajes. El ruido del tráfico, de los pitidos de los policías y las voces de la gente sonaban juntos y yo ya estaba asustada y pensando que ojalá hubiese estado Julia conmigo. Un hombre extraño con un micrófono estaba de pie contra un edificio vociferando frases sobre Dios y Jesús y el fin del mundo. Pasé por delante de una mujer que vendía flores cuyo dulzor me recordó a mi madre y mi tierra. Dos manzanas después, elevándose por encima del gentío vi el anuncio de la estación de los autobuses «Lebrel», con la silueta de un perro largo y estirado, elevándose hacia el cielo.

Entonces advertí un farol con un cartel pegado. En el cartel se veía la cara de un niño, parecida a la de Óscar, con expresión asustada y ojos suplicantes. Me acerqué al cartel para poderlo leer. Parte de lo escrito estaba en español y parte en inglés. El encabezamiento decía: «Justicia para los refugiados salvadoreños.» Me quedé mirándolo con la boca abierta y leí el texto. «Únete a nosotros —decía—, para que las víctimas, como este niño, de la guerra que los Estados Unidos apoya contra el pueblo de El Salvador puedan vivir en nuestro país legalmente y sin peligro.» Debajo del texto había un teléfono. Noté que los ojos se me llenaban de lágrimas. Acaso tuviera esto algo que ver con la ayuda que el padre Jonathan estaba tratando de conseguirnos. Hice la señal de la cruz mientras echaba a andar.

Un escaparate a mi derecha aparecía lleno de radios, magnetófonos y televisores. Me quedé un momento mirando las pantallas de televisión en las que se veían caras risueñas mientras giraba la rueda de un concurso televisivo. Di unos pocos pasos más, contemplándolo y, al darme la vuelta y mirar calle abajo, vi a un hombre de cabello oscuro pegando otro cartel en otro farol —un cartel exactamente igual al que acababa de leer—. A su lado había una señora rubia repartiendo papeles a los transeúntes.

Me quedé quieta observándoles. La mujer trató de dar papeles a varias personas, que sacudieron la cabeza y siguieron más deprisa. Luego me vio a mí, pero siguió con su tarea, aunque mirándome de vez en cuando. Finalmente dejó de repartir los papeles, dijo algo al hombre de cabellos oscuros, me señaló con un movimiento de cabeza, y vino a donde yo estaba.

—Formamos parte de un movimiento —dijo en voz baja en perfecto español—. Ayudamos a la gente sin documentación, a los que han venido aquí clandestinamente a causa de las matanzas de su país —hizo una pausa, luego me preguntó—: ¿Quieres leer algo sobre nuestro grupo?

Asentí con la cabeza, y ella me entregó un papel.

—Estamos tratando de cambiar las leyes —continuó—, para conseguir un lugar seguro para las personas como el niño del cartel.

—¿No se meterán en un lío? —pregunté suavemente.

—Vale la pena el riesgo —dijo ella.

—¿Hay muchas personas como usted? —la voz se me quebró al decirlo.

—Sí, muchas —dijo y repitió la palabra—. Muchas. ¿Quieres nuestra dirección?

Volví a asentir con la cabeza y eché una ojeada a mi alrededor, por si había algún policía vigilándonos. Ella también miró en derredor.

Volviéndose, como si no me estuviese hablando a mí, sino contemplando la calle, me dijo bajito:

—Tenemos una reunión esta noche. Podrías venir con nosotros.

—No puedo. Me voy de Chicago por algún tiempo. Pero volveré.

Un policía pasó por la calle y yo me volví hacia los televisores. Un señor en un coche descapotable, con una música muy ruidosa, aparcó junto al bordillo de manera que resultaba difícil oír.

—Aquí tienes algunos nombres y direcciones —dijo la señora rubia, hablando más alto—. Ponte en contacto con nosotros cuando vuelvas. Estamos tratando de cambiar las cosas y de ayudar a la gente para que no tengan que esconderse.

—¿Cree que hay esperanza? —pregunté.

Sonrió.

—Sí, creo que hay algo de esperanza —contestó.

Cogí los nombres y las direcciones que la mujer me daba.

—*Gracias* —le dije a ella y al hombre—. *Muchas gracias* —repetí al echar a andar con rapidez calle abajo. Entonces, justo cuando me volvía para entrar en la estación, vi un destello verde dorado que doblaba la esquina. Me pregunté si sería la espalda de la *Señora Quetzal*.

Mientras hacía cola, me dolía el alma por haber tenido que despedirme de Julia, de Óscar, de Tomás y de los demás, pero también pensé en la señora rubia, en el cartel y las direcciones. Me aprendería de memoria lo que me había dado y tiraría el papel.

14

Ya estaba camino del sur en el autobús, sentada al lado de la ventanilla, tratando de captar lo que pasaba y lo que cambiaba. Al principio lo único que veía era un paisaje urbano: edificios de ladrillo apiñados unos junto a otros y la gente sumergida en las sombras, aunque lucía el sol. Tenía como un peso en el pecho y, al pensar en mi madre, cerré los ojos de dolor. Luego me quedé dormida durante un rato, pero me desperté de repente. El ángulo de la luz había cambiado en la ventanilla y me vi la cara reflejada. La suavidad infantil de mis mejillas y de mi barbilla había desaparecido, y lo que vi fue una mujer con sombras oscuras bajo los ojos.

Recordé a Julia en casa, a la sombra de las hojas del *amate*, descansando un rato conmigo después de haber trabajado en los campos. Bebía del *tecomate*[1], me lo pa-

---

[1]   En América Central y México, especie de calabaza de cuello estrecho y corteza dura de la cual se hacen vasijas, que se conocen también con ese nombre. *(N. de la T.)*

saba y arqueaba la cabeza hacia atrás de manera que el cabello le caía suelto por los hombros. Permaneció así estirada hacia atrás mientras yo también bebía, después enderezó la espalda, se echó el pelo hacia delante y por encima de un hombro, y me sonrió. En el autobús yo me eché el pelo sobre el hombro derecho y me miré a los ojos en la ventanilla. Eran tan oscuros como un pozo y en el centro vi una sombra de doña Elena. Que Dios nos bendiga y nos proteja, me dije.

Para entonces los edificios estaban más separados y, mientras el autobús seguía zumbando, se hacían más frecuentes los trechos de hierba amarillo-verdosa. Vi hojas nuevas en los árboles que pasaban, y las hierbas y las hojas se estremecían con el viento. Al oír roncar suavemente a la mujer que iba a mi lado me la quedé mirando. Sus oscuros labios siseaban como un gato mientras dormía. Sonreí pensando en el gatito de color naranja y me pregunté que qué habría sido de la *Señora Quetzal*. Luego volví a mirar por la ventanilla y se me levantó el espíritu. Me llegaba la melodía del silbido del bosque y el cielo azul intenso se extendía de un lado del horizonte al otro mientras grandes nubes grises ascendían de la ondeante hierba. Los rayos de sol aparecían entre las nubes en forma de franjas y tocaban la tierra con su luz. Estábamos fuera de la ciudad y yo me sentía muy feliz. Oh, Óscar gorrión, aquí te sentirías maravillosamente, pensé para mí.

Poco después, el autobús se desvió de la carretera principal, subió una cuesta y se paró delante de unos edificios planos y bajos. «Gillman, Onarga», dijo el conductor. Yo me dirigí hacia la parte de delante del autobús y me apeé. El autobús arrancó y yo me había quedado sola. A mi derecha se extendía una ciudad, más allá de la campiña, y en unas vías próximas había vagones de tren parados. Me encontraba en medio de un gran aparcamiento de coches lleno de surtidores de gasolina, con enormes camiones que rugían allí mismo o salían y entraban. Una bandera norteamericana ondeaba en un elevado mástil en lo alto de uno de los edificios.

Parpadeé a causa de la brillantez de la luz, pasé por delante de los coches hasta una ventana del edificio más grande y miré por ella. Al lado de una caja registradora había una mujer de tez clara, con una blusa de color rosa fuerte, masticando chicle y mirando hacia fuera. Había gente sentada a las mesas comiendo. La mujer pálida me vio y sus ojos se cruzaron con los míos, así que me aparté de la ventana.

Un hombre alto, que llevaba unas llaves, salió por la puerta y me vio apoyada tranquilamente contra el muro. Fijó los ojos en mi cara y luego me recorrieron el cuerpo. Yo me eché hacia atrás. Arqueando las cejas se puso a reír y se encaminó hacia un camión. Retrocedí aún más hacia las sombras y observé cómo salían y entraban otros camiones. La mayoría de los coches parecían nuevos, eran mejores que los que habíamos visto en México o cerca de donde vivíamos en Chicago.

Me había bebido todo el agua que había llevado y tenía necesidad de ir al cuarto de baño, pero no encontraba ninguno con entrada desde el exterior. Finalmente abrí la puerta del edificio principal y penetré en la penumbra. La mujer pálida estaba detrás del mostrador, delante de un haz de banderas americanas. «El aseo, por favor», dije, pero no contestó.

Al fondo de la habitación había una señal que decía «Señoras» y me encaminé hacia allí. Al lado de la señal que decía «Señoras» había tres hombres sentados a una mesa y cerca de ellos un carro con platos sucios. Cuando yo entraba en la habitación, uno de los hombres, que era gordo y tenía el pelo corto de color castaño, empujó el carro con el pie para que yo no pudiese pasar. Otro hombre se echó a reír y dijo algo en inglés sobre los mexicanos, y otro pronunció la palabra «ilegal». Yo retrocedí y ellos se volvieron a reír, entonces me di la vuelta y salí del edificio. Volví la vista hacia la ventana y vi a la mujer contemplándome mientras me iba.

Fuera miré desesperadamente a mi alrededor en busca de un sitio donde poder hacer mis necesidades, pero no había ningún lugar discreto. De la carretera principal partía una carretera de grava que cruzaba las vías del tren, la seguí por una pequeña pendiente, donde no había nadie. Bajé a la cuneta próxima y me agaché entre las hojas secas de enea. El fondo de la zanja era pantanoso y entre las plantas secas crecían troncos nuevos. Salí de la cuneta y el corazón ya no me aporreaba.

El campo estaba salpicado de dientes de león amarillo fuerte que me recordaban a Tomás. Cogí varios y vi algunas florecillas moradas que crecían en pequeños racimos verdes. Levanté la vista, agarrada a mi ramillete de flores. Los pájaros cantaban bajo el cielo azul y vislumbré unos destellos rojos en las alas de un mirlo cuando sobrevolaba un campo. Esto me hizo pensar en los chiles rojos que se ponen a secar en México y en las casullas rojas que el sacerdote se pone a veces sobre la sotana negra. Cerré los ojos y sentí el viento en la cara. A no ser por los pájaros y el viento, todo estaba en silencio, y yo respiré profundamente. En el horizonte advertí los edificios de una ciudad y en la lejanía empezó a ladrar un perro.

Un coche avanzó por la carretera levantando polvo de la grava a medida que se acercaba. Yo eché a andar de nuevo hacia los edificios con la cara hacia delante. Luego volví a la parada de camiones y contemplé los coches y camiones que se paraban a echar gasolina.

Algo después un coche viejo se detuvo ante los surtidores y un hispano se apeó de él. En el asiento de delante iba sentada una mujer joven con dos niños, con el cristal de la ventanilla bajado, y un hombre y una mujer, hispanos también, iban con otro niño en el asiento de atrás. Yo me acerqué a la ventanilla y hablé en español a una de las mujeres:

—Estoy buscando a Ana Aragón —dije—. ¿La conocen?

La mujer sonrió.

—Pues, claro; te llevaremos a su casa —me condujeron por una carretera secundaria, rodeada de campos en los que crecían matojos y árboles pequeños. Hombres y mujeres de origen hispano trabajaban agachados en los campos.

Un poco más tarde me encontraba en una oscura cocina de una vieja casa de la ciudad próxima. Los ojos me escocían a causa de los chiles que estaban guisando y la mujer me hablaba mientras machacaba especias en un mortero con una mano de almirez. Oí pasar un tren por allí cerca, y un niño pequeño entró en la caliente cocina persiguiendo a una niña. Durante un momento, en el niño vi a Óscar, pero la mujer le habló con severidad y los dos volvieron a salir de la cocina. Un crío lloraba en otro cuarto, donde otros niños contemplaban la televisión. La mujer tenía su larga cabellera recogida hacia atrás con un pañuelo rojo y, mientras trabajaba, se pasaba el revés de la mano por la frente. Bajo los ojos tenía unas profundas ojeras.

—¿Vas hacia el sur? —preguntó—. Eres muy joven para viajar sola. ¿Vas a volver a cruzar la frontera de regreso?

Bajando la mirada respetuosamente, contesté:

—Sí, voy a recoger a mi hermana pequeña. Ahora se ha quedado sola.

—Pero es muy peligroso para una chica como tú ir sola. ¿No hay alguien contigo?

Sacudí la cabeza, con lágrimas en los ojos otra vez.

—¿Cómo llegaste aquí la vez anterior?

—Encerrada en un cajón —dije.

La mujer interrumpió su trabajo y se me quedó mirando, se limpió las manos en el delantal y se fue hacia la mesa.

—Siéntate —dijo—, cuéntame todo y veré si puedo ayudarte.

Así que le conté nuestra lucha por conseguir alimentos, la carta que recibimos sobre *mamá*, y que doña Elena había vendido su talla, pero no le dije lo que Julia había estado a punto de hacer para conseguir el dinero. La voz me temblaba al hablar, especialmente al referirme a mi madre.

Ana sacudió la cabeza de un lado para otro con tristeza.

—Qué duro tiene que ser. Debes de sentirte muy desamparada ahora que viajas sola.

Asentí con la cabeza y casi me eché a llorar.

—Pero mi padre dijo que yo tenía que salvar a la familia y no he conseguido traer a *mamá* y a Teresa a tiempo. Luego empecé a dudar de la Virgen. No hace más que mirar hacia delante, no se inmuta. Acaso Dios me esté castigando. A lo mejor tengo yo la culpa. A lo mejor, si soy yo la que consigo traer a Teresa, las cosas mejoren.

Ana me cogió una mano entre las dos suyas y dijo:

—De nada de esto tienes tú la culpa, María. Y Dios no te castigaría. Todos habéis sufrido a causa de las matanzas, y por tener que estar aquí en secreto, y porque la gente es tan pobre donde vivís. ¿No lo comprendes? —permaneció en silencio durante un rato, suspiró y me soltó la mano. Tomó un par de sorbos más de una taza de café y me dio una servilleta para que me secase los ojos—. No dejaremos que te cojan —dijo—. Voy a ver lo que podemos hacer por aquí, y pediremos protección a Dios y a la Virgen.

—No, no a Nuestra Señora —dije—. Me parece que mi familia no le importa. Ni tan siguiera le cambia la cara.

Ana permaneció de nuevo en silencio, mirándome fijamente con sus ojos oscuros y serios. Finalmente alargó las manos y me las volvió a poner en las mías.

—Pero hay a quien sí le importa —dijo—. Voy a tratar de conseguirte un viaje seguro.

Esa noche dormí con tres niños en un cuarto diminuto de un remolque, que hacía las veces de casa, en el campo. El cuarto estaba separado del resto del remolque por una cortina. En la pared había colgado un rosario, unas flores de plástico, un dibujo de un niño de ojos grandes y una estampa de la Virgen. La noche era templada, así que la ventana estaba abierta, y un niño pequeño se balanceaba de adelante a atrás mientras dormía. Yo yacía escuchado las ranas y las cigarras. El aire fresco me daba en la cara y estaba tan satisfecha de estar lejos de la ciudad que se me llenaron los ojos de lágrimas y pensé que si Óscar pudiese dormir así, estaría más fuerte. Pero al fin me quedé dormida y soñé.

En mi sueño, una anciana vestida de negro me llevaba por un sendero de las montañas de Guatemala por donde habíamos viajado. Yo observaba los talones de los huesudos pies de la anciana presionar el esponjoso suelo. Al fin, después de subir mucho, llegamos a la cima a la que me llevaba, donde las nubes flotaban en torno a mis tobillos. Miré hacia abajo, por encima del verde de las montañas, más allá de los lugares donde nos habíamos escondido, más allá de un pueblo desierto donde habíamos encontrado los cadáveres de unos indios. La anciana se volvió y se puso de cara. Entonces apareció ataviada de blanco y azul, como la Virgen. Yo retrocedí apesadumbrada, pero no podía apartarme de ella, y vi en el centro de cada uno de sus ojos grandes *quetzales* salvajes. Los *quetzales* salieron volando hacia mí moviendo lentamente las alas de abajo arriba, avanzando hacia delante. Tuve miedo y me eché hacia atrás, pero de nuevo no pude apartarme y entonces vi que los *quetzales* eran inofensivos.

Medio aturdida, cerré los ojos. Cuando los volví a abrir tenía otra vez a la vista la cara de la anciana, tenía los ojos bondadosos y a través de las profundas arrugas de su piel olí las hierbas aromáticas de doña Elena. Con lágrimas en la cara le supliqué:

—¿Puedes devolverme a *papá* y *mamá*? ¿Y *mamá*?

La mujer susurró:

—Niña, hay más, más de lo que tú sabes —entonces se elevaron unas nubes que me impidieron verla y yo me sentí como flotando, pero oí su voz—: No se te está castigando. Yo no haría nunca daño a tu familia.

—Entonces, ¿por qué?, ¿por qué?, ¿por qué? —sollocé con la cara entre las manos.

Finalmente me llegó de nuevo su voz.

—No estás sola, María. Puedes percibirme en el viento. Yo acudiré en las alas de las aves. Cuando vuelvas a cruzar el río, yo estaré contigo en las agitadas aguas. Por la mañana temprano, oirás mis llamadas —la anciana volvió la cara y yo la escudriñé de cerca vislumbrando por un instante a la *Señora Quetzal,* pero se introdujo en los ropajes de la Virgen y desapareció.

Me desperté. Era aún de noche, pero los pájaros cantaban con la alegría del amanecer. Permanecí escuchándolos, con la cara bañada en lágrimas, cuando la luz ya empezaba a clarear en mi ventana.

Me quedé en Onarga dos noches más mientras Ana Aragón me buscaba un viaje seguro. Durante el día cuidaba de los niños de los amigos de Ana que trabajaban en los campos. Al final de la segunda tarde, Ana vino a hablarme y se sentó conmigo en el escalón de un remolque. En la distancia cacareaba un gallo y cantaban los pájaros. Una niña pequeñita se apretujó contra el regazo de Ana y yo mostré a ésta un dibujo que había hecho para la niña. En mi dibujo un pájaro sobrevolaba un maizal, y entre las hojas se veía la silueta a grandes líneas de una niña diminuta.

Ana se echó hacia atrás y se me quedó mirando, como si me viese la cara por primera vez. Luego sonrió con su aprobación reflejada en todas las arrugas de la cara.

—María —dijo—, tienes un don. Eres una artista.

Sonreí y bajé los ojos.

—*Gracias* —respondí.

La pequeña se bajó del regazo de Ana y echó a correr para reunirse con los otros niños. Ana puso una cara más seria.

—Además, tengo noticias —dijo—. Te he encontrado un viaje seguro, más barato que el autobús, con una de mis sobrinas. Ella, su marido y los niños van a ir a Brownsville, Texas, a ver a mi madre. Pensaban marcharse la semana próxima, pero irán antes por ti. De esta manera puedes ayudarles con el gasto de la gasolina.

—¿Les pondré en peligro?

—Un poco. Pero Laura está dispuesta a hacerlo. Ella y sus niños son ciudadanos de los Estados Unidos y su marido, Manuel, está aquí legalmente. Pero él no tiene permiso de conducir, así que tiene que llevar ella el coche. Y eso le hiere en su amor propio —se echó a reír—. Ya sabes cómo son los hombres.

Ana se sirvió una taza de café de un termo que había traído y me ofreció a mí. Yo indiqué que no con la cabeza.

—Llevo café conmigo porque estoy muy cansada y me alivia los dolores de cabeza. Hay siempre tantos problemas con la gente. Trato de ayudarles y de traducir, pero soy yo sola. Y mis propios hijos, esos nos dan mucha lata. Ay, Virgen María, la vida es dura —yo moví la cabeza afirmativamente y dirigí la vista hacia abajo.

—No quería hacerte sentir como otro problema —dijo Ana con voz preocupada—. Es sencillamente todo —suspiró, luego miró hacia la carretera y se limpió las manos en los vaqueros—. Lo importante es que, cuando las madres de estos niños vuelvan de los campos a casa, te voy a llevar a nuestra iglesia a rezar —me levantó la cabeza para poder verme los ojos—. Comprendo que es duro para ti el rezar después de todo lo que ha pasado, pero necesitarás tener a Dios contigo.

Un poco más tarde abrió la puerta, que estaba cerrada con llave, de un pequeño edificio blanco en la parte principal de la ciudad.

—Arreglamos esto para que la gente tuviese un lugar donde rezar y reunirse, y recibir la ayuda de Dios. A veces, esa es la única ayuda que hay —dijo.

Dentro la luz era tenue, pero pude ver a la derecha una estampa de la Virgen de Guadalupe contra unas cortinas rojas, verdes y blancas. En las sombras de la izquierda había una imagen de San José con el Niño Jesús y encima del altar colgaba un gran crucifijo. A la derecha, delante de Nuestra Señora, había una estatua de un mexicano arrodillado en actitud orante y mirando la cruz. Luego vi un letrero con unas palabras en español cuidadosamente escritas. Cerré casi los ojos para poder leerlo en la semioscuridad. Ana lo notó y dijo:

—Una monja nos hizo ese letrero. Dijo que era la promesa de Dios tomada de la Biblia.

Ana leyó:

> *No habrá allí niño que muera de pocos días.*
> *Ni viejo que no cumpla los suyos.*
> *Morir a los cien años será morir niño*[2].

Yo me quedé mirando el letrero.

—Morir a los cien años será morir niño —repetí.

Ana me llevó hacia delante y encendió una vela ante Nuestra Señora.

—Vamos a rezar para que no corras peligro, María, y por la seguridad de tu madre y de tu hermanita.

Temprano, a la mañana siguiente, di las gracias a Ana de nuevo y partí de Onarga con su sobrina, Laura Lucas, su marido, Manuel, y sus tres niños. Los niños estaban medio dormidos y lloriquearon cuando les metieron en el viejo coche. Y emprendimos nuestro viaje hacia el sur. Yo iba sentada en el asiento de atrás contemplando el paisaje y preguntándome si mi madre estaría aún viva.

Laura tenía el cabello de color castaño rojizo, que le caía en forma de bucles sobre los hombros y que a la luz del sol parecía incandescente. Sonreía con facilidad y cuando los niños se ponían a llorar o a pelearse les regañaba, y les amenazaba con parar el coche si no se estaban quietos. El marido de Laura resultaba antipático y viajaba sin hablar, pero no paraba de pasar la radio de emisora en emisora.

---

[2] Isaías, 65,20. La traducción de esta cita bíblica está tomada de la edición de la *Biblia* de Nácar y Colunga, BAC. *(N. de la T.)*

Viajamos así durante todo el día y buena parte de la noche, sin detenernos más que unas horas para que Laura se echase un sueño en el asiento del conductor. El clima se iba haciendo más cálido a medida que avanzábamos hacia el sur, y el frío de Chicago parecía muy lejano.

Entrada ya la segunda noche, yo iba en el asiento de delante hablando con Laura para ayudarla a mantenerse despierta, aunque me pesaban los ojos y se me cerraban continuamente, cuando de repente el coche se salió de la carretera a la grava del arcén. Manuel dio un salto en el asiento de atrás.

—¡Qué pasa! —gritó.

Con una sacudida, Laura volvió a llevar el coche a la carretera y dijo:

—Tengo que dormir. Voy a pararme en la próxima zona de descanso —no había nadie cuando aparcamos en la zona de descanso, y, antes de dormirme, a mí me pareció ver las sombras de unas palmeras.

Me desperté de pronto a causa del destello de unas luces rojas y del sonido estático de una radio de la Policía.

—¡Los *Guardias*! —dije, incorporándome de golpe.

Laura susurró:

—Maldita sea —y uno de los niños se puso a llorar. El corazón me empezó a latir muy fuerte cuando de la noche salió un hombre de uniforme que se dirigió hacia la ventanilla de Laura.

—Policía de carretera —dijo. Le vi la pistola en el cinto y apoyé la espalda contra la portezuela del coche. Él echó un vistazo dentro del coche y añadió—: Identifíquense.

Otro policía apareció en mi ventanilla, sobrecogiéndome, y yo me acurruqué en el asiento. En mi mente oí los tiros de mi país y vi a *papá* y a Ramón desplomarse.

Entonces decidí cometer una engañifa. Tiré del manubrio de la puerta, el policía se echó hacia atrás, con la pistola en la mano, y yo vomité en el suelo.

Laura dijo con rapidez:

—Somos ciudadanos de los Estados Unidos. Aquí está mi permiso de conducir, pero mi sobrina tiene una gripe muy fuerte. Por eso hemos parado —me miró para ver si yo comprendía.

Yo asentí con la cabeza y empecé a fingir otra vez, oyendo a Julia chillar cuando los guardias la empujaron hacia la puerta. Vomité de nuevo y luego me volví hacia el policía:

—Sí, soy María Lucas, de Chicago. Voy a visitar a mi abuela a Monterrey —dije.

Manuel se inclinó hacia adelante.

—Manuel Lucas, Onarga, Illinois.

Los niños lloraban y yo sentí que el sudor me resbalaba por la cara. El primer policía entregó el permiso de conducir de Laura al segundo, pero hablaban en inglés demasiado deprisa como para que yo lo entendiese. Finalmente el primer policía le devolvió el carnet a Laura y entendí las palabras que decía:

—Descanse y luego sigan.

—Maldita sea —susurró Manuel cuando los policías volvían a su coche. Laura esperó a que se fuesen y entonces puso el coche en marcha. Los niños dejaron de llorar. Cuando íbamos por la carretera, Laura suspiró de alivio.

—Santa María —exclamó—. Dijeron que no querían coger lo que tú tuvieses, por eso nos dejaron marchar. Es un milagro.

Yo me puse a llorar en el asiento delantero recordándolo todo. Vi a *mamá*, a Julia, a Óscar, y a la pequeña Teresa y a mí escondiéndonos en el barranco de detrás de nuestra casa cuando los *Guardias* volvieron en un *jeep* a matarnos. Recordé nuestra casita cuando le decíamos adiós. Detrás aún había gallinas picoteando, por delante la protegía el *amate*, los pájaros cantaban, y contra un muro florecían unos lirios. Luego echamos a correr y seguimos corriendo.

Fui con Manuel y Laura hasta Brownsville, Texas, donde nos despedimos. Por la mañana temprano, después de comprobar de nuevo mi dinero, emprendí la marcha por el puente que separa los Estados Unidos de México. A esas horas ya había largas colas de hispanos, esperando cruzar desde México, para acudir a su trabajo en el país de los ricos, pero nadie me paró, ni nadie me hizo ninguna pregunta, al cruzar yo en dirección contraria.

El Río Grande, que corre por debajo del puente, era de color marrón claro, y de unos veinte pies de ancho, con verdes orillas en declive cubiertas de hierba y hierbajos. Parecía fácil de vadear o de cruzar a nado, pero en el centro la corriente discurría muy rápida. Me quedé mirando un pequeño remolino a un lado y, de repente, vi la cara de la anciana guatemalteca de mi sueño con los *quetzales* saliéndole del centro de sus bondadosos ojos.

15

Al entrar en Matamoros me di cuenta de que había vuelto a la tierra de los pobres. Casas de adobe de color turquesa, ocre y rosa, y chabolas en mal estado, se agolpaban unas con otras contra el cielo azul; había niños flacos, descalzos, vendiendo periódicos y golosinas; personas mayores con carretillas tratando de vender cosas de comer; limpiabotas; y una anciana india con dos niños escuálidos pedía limosna. Pasé por un solar en el que corrían sueltas las gallinas, y un niño sin zapatos tiraba de un cerdo atado con una cuerda. Había niños que se reían, bebés que lloraban; salía música de las tiendas y una mujer de rostro chupado estaba sentada contra una pared dando de mamar a un niño. Compré un bollo en una carretilla, me bebí una botella de un *refresco* de naranja y me subí a un autobús que iba hacia Monterrey. A medida que me iba acercando a donde habíamos vivido con Teresa y *mamá,* mi temor por mi hermana se intensificaba y la pérdida de mi madre se hacía más real.

El atestado autobús ardía con el calor y, aun con las ventanillas abiertas, olía a gasolina. De repente, dio una sacudida y se paró. Había una fila de coches en la carretera. «Un accidente», dijo alguien. Yo saqué la cabeza por la ventanilla. Estaban retirando de la carretera dos carros tirados por sendos burros, una niña pequeña conducía una manada de vacas con una vara y, a nuestra izquierda, había un santuario donde se celebraba un entierro. Finalmente, se apartó un grupo de gente que había delante de nosotros y vi un camión despachurrado.

Un chico que iba en el autobús, de aproximadamente mi edad, se pasó el brazo por la frente. «Maldito calor», dijo. Pensé en Tomás y recordé cómo me había abrazado y besado antes de marcharme. Me toqué el medallón y cerré los ojos. Entonces sentí que el sudor me resbalaba por la cara. Al fin el autobús se puso de nuevo en movimiento.

Más avanzado el día llegamos a las afueras de Monterrey. Descendí del autobús y encontré otro que iba hacia la parte de la ciudad en la que yo creía que vivía Beatriz. Atravesamos calles muy concurridas, con mucho tráfico y con gente que se apresuraba en todas las direcciones. Al fin me pareció reconocer una plaza de toros y una fábrica de cerveza, me apeé del autobús y me quedé inmóvil, aturdida. Recordaba la manzana de viviendas de cemento con el pequeño saledizo inclinado, a mi derecha, pero las chabolas de adobe, de madera carcomida, de cartones y hojalata, a mi izquierda, no me resultaban conocidas. Sin embargo, habíamos habitado una casa de ese tipo y era en ese tipo de vivienda donde encontraría a Teresa. Sentía mucho que no estuviese Julia conmigo, pues, verdaderamente, nunca hubiera imaginado que algún día volvería allí sola.

Bajé por una calle flanqueada por peñascos en la que las casas, las chabolas y las pequeñas tiendecitas llegaban hasta el borde, y en la parte trasera de los edificios había vacas, gallinas y burros. Y por todas partes se veían niños jugando y trabajando. Un loro en una jaula que colgaba por fuera me llamó, recordándome Guatemala, mientras pasaba un carro de sandías tirado por un caballo.

Luego reconocí los elevados muros de color rosa y la alambrada de una fábrica textil y supe que habíamos vivido allí cerca. Nuestra chabola había sido de hojalata, y estaba adosada a una choza de adobe, que aún tenía restos de pintura azul, medio desprendida, en las paredes. Beatriz Esqueda había vivido en la choza con sus cinco hijos; su marido se había marchado a buscar trabajo unos años antes y no había vuelto. Pero Beatriz sabía leer y escribir un poco y, como mi madre cuidaba de sus hijos mientras ella trabajaba en la fábrica textil, fue ella quien nos escribió que habían deportado a *mamá* y era ella quien debía de tener a Teresa.

Yo anduve de aquí para allá por las estrechas callejas tratando de encontrar donde habíamos vivido y comprobando de vez en cuando que aún se veía la fábrica. Luego empecé a preguntar a la gente si conocían a Beatriz, pero todos movían la cabeza negativamente. El sol ya estaba bajo en el cielo y sus rayos, encima de las casas, se tornaban morados por el humo y la niebla. Cantaban los gallos y ladraban los perros. Y allá donde miraba no veía más que niños flacos y hambrientos. Medio mareada y cansada, me compré otro *refresco* y me senté en las piedras de al lado de una calle con la cabeza entre las manos.

Entonces una niña pequeña me habló. Levanté la vista, pero la calima que producía la puesta del sol le rodeaba la cabeza de manera que no podía verle la cara.

—¿Eres María? —me volvió a preguntar. Yo me acerqué para poderla ver más claramente—. *Mamá* dijo que estuviésemos al cuidado por si llegabas. Pero se ha ido, *mamá* se ha ido.

—Virginia —dije—. ¿Eres Virginia?

Virginia volvió a indicar que sí con la cabeza, pero añadió:

—Mamá se ha ido. Estamos solas. *Mamá* no ha vuelto

—Virginia era la segunda hija de Beatriz.

Sentí que tenía lágrimas en los ojos.

—Virginia, ¿dónde está tu madre? ¿Tenéis a Teresa, mi hermana pequeña?

Virginia me llevó de la mano. Franqueamos parte de una valla, pasamos bajo una cuerda con ropa tendida y, finalmente, entramos en el patio de una pequeña choza azul con una chabola de lata al lado. Allí, junto a un neumático viejo, con los ojos muy abiertos, pero pestañeando al mirar hacia el cielo que se iba oscureciendo, había una niña diminuta.

—Óscar —masculté, y luego—: Teresa —la niñita levantó la cabeza hacia mí. En un lado del pelo aún le quedaban los restos de una cinta. Cuando la cogí no lloró.

Entré en la pequeña casa. Otros cuatro niños yacían en la semioscuridad; uno lloraba suavemente. Vi una estampa oscura de la Virgen.

—*Gracias, gracias* —dije y cerré los ojos. Yo sentía el calor de Teresa contra mí, pero ella apenas se movía—. ¿Qué ha ocurrido? ¿Dónde está vuestra madre? ¿No tenéis comida? —pregunté a la niña mayor.

En la puerta apareció una luz y me volví. Una mujer joven en un muy avanzado estado de gestación surgió con un envase de leche y una lámpara de petróleo.

—Ay, gracias a Dios —dijo— que ha venido alguien.

—¿Qué ha ocurrido? —pregunté a la mujer—. ¿Dónde está Beatriz? ¿Por qué no hay nadie con ellos?

La mujer entró, dejó la lámpara y la leche encima de un baúl y se apretó las manos contra los riñones.

—Beatriz se accidentó en la fábrica. Va a estar en el hospital otros cinco días, más o menos. He estado haciendo lo que podía por los niños, trayéndoles algo de comer, pero yo tengo otros cuantos —suspiró—. Tú debes de estar aquí por Teresa.

Indiqué que sí con la cabeza.

—Qué bien —dijo—. A lo mejor en el norte tiene alguna posibilidad. A lo mejor algún día me voy yo también —miró en derredor a los niños—. Al menos esta noche tendrán leche.

Dejé a Teresa, que se quedó indiferente en el suelo. Le toqué la frente, pero no la tenía caliente.

—Lo que tienen sencillamente es hambre, me parece —dijo la mujer—. ¿Tienes algo de comer?

—No, pero tengo algo de dinero.

—Qué bien, qué bien. Yo les daré leche y tú puedes comprarles *tortillas* y melones a la vuelta de la esquina. Mañana puedes guisarles judías. Esta noche al menos dormirán.

Así que fui a comprar víveres y volví con los niños. Dormimos todos juntos, y yo mantuve a Teresa entre mis brazos, despertándome tres veces esa noche para mirarla y asegurarme de que no estaba soñando. A la mañana siguiente le di una vitamina. Mi hermana pequeña tenía mocos, los brazos delgados y las piernas ligeramente arqueadas, pero estaba viva.

Escribí una carta rápida a Julia, haciéndole saber que había encontrado a Teresa. Luego fui al hospital, donde localicé a Beatriz. Yacía allí pálida y delgada, con la frente, un brazo y un hombro vendados, pero, cuando me acerqué a ella, se le llenaron los ojos de lágrimas.

—He venido a buscar a Teresa —dije—, pero cuidaré de sus niños hasta que pueda volver a casa —alargó la otra mano para cogerme un mía, pero no dijo nada—. Estamos muy agradecidas por haberla cuidado —añadí—. ¿Tiene algún recado de mi madre?

Beatriz contestó lentamente:

—No, acababa de entregarme a Teresa cuando la cogieron. Les dijo que Teresa era mía. No nos hablamos más que con los ojos. He estado rezando por ella.

—*Gracias* —dije de nuevo, doliéndome el alma a causa de mi madre—. Tengo dinero para un *coyote,* pero podemos gastarlo en víveres y cuando cruce lo haré yo por mí misma.

—Muy bien, muy bien —replicó Beatriz—. Pero, María, no debes perder la esperanza por tu madre.

Volví a la chabola, donde *mamá* parecía seguir muy presente.

—¿Hay esperanza? —pregunté a las paredes—. ¿La hay?

El dinero se me iba rápidamente dando de comer a siete, pero Teresa y los otros niños recobraban fuerzas. Sin embargo, yo me sentía culpable por estar gastando el dinero de doña Elena en algo que no era volver directamente a casa. No daba las vitaminas más que a Teresa y, una tarde, al meterle la píldora en la boca, me juré que ayudaría a los niños de Beatriz pero que, pasase lo que pasase, no podía ayudar a nadie más.

Dos días después, cuando estaba empezando a escribir a Julia otra carta, apareció en la puerta la mujer embarazada que había traído leche la primera noche.

—Ha llegado una carta para Beatriz —dijo— de un centro de refugiados de Honduras.

Cogí la carta, sin apenas respirar. La dirección del remite era de justo al lado de la frontera de mi país.

—*Mamá* —dije—. A lo mejor es algo sobre *mamá* —pero la carta iba dirigida a Beatriz. Me temblaba la mano. No sabía si debía abrirla.

—Beatriz no tiene a nadie allí —dijo la embarazada—. Creo que deberías leerla —abrí el sobre.

«A Beatriz Esqueda —comenzaba la carta—. Soy la hermana de Joanne Thompson, del Centro de Refugiados de Chaletenago, en Honduras, cerca de la frontera de El Salvador. Le envío mis saludos y estoy tratando de localizar a Julia Córdoba y a María y Óscar Acosta para darles un mensaje de su madre —yo me eché a llorar—. Estoy escribiendo a usted y a una dirección de Chicago para decirles que su madre vive y que está con nosotras —continuaba la carta—. Llegó a nosotras sana y salva hace cinco días y está bastante bien de salud, aunque ha pasado mucho. Nos ruega que averigüemos noticias de su hija Teresa, de año y medio de edad. Por favor, envíenos cualquier noticia que tenga y trate de informar a sus otros hijos de que está a salvo. Gracias, y que Dios la acompañe.»

Levanté en alto a la pequeña Teresa, sosteniéndola delante de mí, con su carita de sorpresa sobre la mía.

—¡*Mamá* vive! ¡*Mamá* vive! —grité—. Está a salvo. Viva. Como tú y Óscar. Ha vuelto a escapar —hice girar en círculos a la sorprendida niña hasta que se me empezó a caer el pelo por la cara; Teresa se reía como yo. Luego, llevándola conmigo, fui a decírselo a Beatriz.

Más avanzada la tarde, cuando me había tranquilizado, me senté con la espalda apoyada en el baúl, en el cuarto principal de Beatriz, y al fin hice un dibujo de *mamá*. Dibujé su cara redonda y dulce, con los pómulos salientes por la edad y el cansancio, con las arrugas de la cara llegando suavemente a la línea del pelo, y su larga cabellera recogida atrás con una goma. Y luego, tras haber afilado el lápiz, pinté la esperanza en el centro de sus bondadosos ojos.

Después de terminar el dibujo, lo doblé y lo mantuve contra mí. «*Mamá,* estás viva. Algún día volveremos a estar todos juntos de nuevo», prometí. También pensé en Alicia. A lo mejor también estaba aún viva. A lo mejor algún día la volvíamos a ver. Esa noche escribí a *mamá* a Honduras contándole que tenía a Teresa y que nos íbamos a encaminar hacia el norte a reunirnos con los otros. También escribí a Julia y a Óscar dándoles todas las buenas noticias y enviándoles el dibujo de *mamá*.

Dos días después llegó otra carta, ésta dirigida a mí. La abrí rápidamente. Era de Tomás. «Querida amiga María —empezaba—. Te escribo para enviarte saludos de todos y para decirte que te echamos de menos. Rezamos para que hayas llegado bien y que estés con Teresa. Ramona ya sonríe y Óscar está estupendamente. Colgamos tu dibujo del mar en el cuarto de estar y cuando lo veo, te veo a ti. La *Señora Quetzal* parece haberse ido. He visitado el lago Michigán y me recordaba un poco el mar. Cuando vuelvas te llevaré a verlo. Ten valor cuando cruces. Espero que te llegue esta carta. Tu muy buen amigo, Tomás.» Sonreí y me sentí reconfortada, como si Tomás me estuviese contemplando. Esa noche me dormí agarrada a la carta.

Al fin Beatriz volvió y yo me quedé tres días más para cuidarla a ella y a los niños. La tercera noche le dije:

—Tenemos que marcharnos mañana. Si no, no voy a tener dinero para volver a casa. Pero puedo darte un poco.

—Sí —afirmó Beatriz—, ya es hora de que te marches. Dios nos ha socorrido. Te daré una toquilla para llevar a Teresa cuando crucéis el río. Cuando mis niños sean mayores a lo mejor también lo intento.

—Beatriz, a lo mejor hay esperanza para nosotros en Chicago. Cuando me dirigía al autobús, al venir, vi a dos personas pegando carteles y me dijeron que había mucha gente que estaba tratando de cambiar las cosas de la inmigración, y me dieron unas señas para cuando volviese.

Beatriz sonrió.

—Eso es buena cosa. No hay que perder la esperanza.

A la mañana siguiente muy temprano le puse un pañal de tela a Teresa, flexioné la cintura, y me la subí a la espalda, a la manera antigua. Al hacerlo, ella me rodeó el cuello con sus bracitos, como si fuese *mamá*. Me erguí, la até muy fuerte con la toquilla y le hice cosquillas en uno de sus pies descalzos. Provista de agua en botellas y *tortillas,* emprendí la marcha hacia el centro de la ciudad para coger un autobús en dirección al norte.

16

Teresa parecía contenta mientras iba sentada en mi regazo en el abarrotado autobús que nos llevaba hacia Reinosa, en la frontera. Me daba palmaditas en las mejillas y se reía.

—Teresa, Teresa, Teresa —decía yo.

—Te-sa, Te-sa —me contestaba, barboteando y guiñando los ojos.

—María, María —continuaba yo, apretándole la mano contra mi pecho, pero sólo contestaba:

—Mmmma, Mmmma.

Un poco más tarde, empezó a llorar y le di agua y parte de una *tortilla*. Iba sentada en mi regazo, chupándola y cayéndosele la baba por la barbilla. Cuando empezó a agitarse de nuevo, le puse la cara contra mi hombro, la mecí de delante a atrás en mi asiento y le canté una pequeña parte de una canción que *mamá* le había cantado una vez:

El día en que tú naciste
nacieron también las flores.
El día en que tú naciste
cantaron los ruiseñores.

Hacía calor y yo sudaba cuando finalmente bajé los escalones del autobús en Reinosa llevando a Teresa en brazos. Al pie de los escalones había algunos hombres anunciando: «¡Te llevo al norte!», «¡Ven conmigo!», «¡Soy una buena persona y no cobro mucho!»

Un policía mexicano pasó por delante y no prestó la menor atención a aquellos hombres, pero yo tuve miedo.

Sacudiendo la cabeza, dije a los hombres:

—No hemos venido más que a visitar a mi madre —y me di la vuelta.

Llevé a Teresa a la plaza, compré un *refresco* frío y un bollo, y me senté a la sombra de un edificio con la espalda contra la pared, contemplando a diferentes grupos de gente charlar a la luz de la tarde. En su mayoría eran hombres, pero también había algunas mujeres, y hablaban de cruzar esa noche, tanto con *coyotes* como sin ellos. Teresa mascaba el bollo y hacía ruidos inarticulados. Luego cogió una piedrecita, echó el brazo derecho hacia atrás y la lanzó hacia delante a poco menos de un metro de distancia. Fue a trompicones hacia ella, la cogió y la volvió a tirar. Esta vez la piedra subió más alto y cayó a su izquierda. La recogió y la lanzó una tercera vez pero lo hizo hacia arriba, por encima de ella, y, antes de que yo pudiera atraparla, le fue a dar en la cabeza. Se puso a chillar, se dejó caer sentada y me echó los brazos. Yo la apreté contra mí, y la acuné.

—Tesa, Tesa, Tesa, no te pasa nada —le dije, y se calló.

Me puse a pensar en el río y en el esfuerzo de ir hacia el norte. Recordé los horribles cajones y lo duro que había sido para Óscar. Tomando de nuevo la decisión de que era más seguro cruzar sola, sin el *coyote,* cogí a Teresa y me acerqué a los grupos que hablaban por la plaza. Había dos mujeres sentadas junto a tres hombres y me dirigí hacia la que estaba más cerca: una mujer delgada con pelo corto.

—Perdón —dije—. Mi hermana y yo tenemos que cruzar. ¿Pueden decirnos por dónde?

Ella y la mujer alta que estaba a su lado se volvieron hacia nosotras.

—Nada de niños —dijo la segunda mujer.

—Pero tenemos que cruzar.

La primera mujer miró a la otra.

—No —repitió la mujer más alta—. La niña llorará y nos cogerán a todos.

Traté de recurrir a la primera mujer, pero la segunda se volvió directamente a mí y dijo:

—Ya es bastante peligroso sin un niño pequeño. Llorará y nos descubrirán. Haz que te lleve un *coyote.*

—No puedo. Cuando fuimos anteriormente, nos maltrataron. Y, además, no tengo bastante dinero. Le daré una aspirina y una medicina para que esté callada.

La mujer suspiró.

—Es muy arriesgado cruzar con un niño pequeño.

—Ya lo sé.

—Bueno, escucha —dijo la primera mujer—. Puedes venir con nosotros hasta donde crucemos el río para que sepas dónde es menos peligroso, y puedes observarnos mientras cruzamos. Más tarde, si sigues pensando que quieres hacerlo, podéis intentarlo tú y la niña. Pero después de que nos hayamos ido nosotros —miró a la segunda mujer—. ¿Estás de acuerdo?

La segunda mujer se volvió hacia los hombres, luego hacia mí.

—Dicen que puedes observarnos si quieres, pero creemos que es muy expuesto para ti. El agua parece poco profunda, pero hay corrientes y pozas. Si la *migra* no te coge, puede hacerlo el río. Es muy peligroso con un niño pequeño y hay salteadores que roban a la gente y violan a las chicas.

Me temblaba la garganta, pero levanté la barbilla al responder.

—Pero no tenemos más remedio que cruzar. Por favor, no hagan más que indicarme dónde es menos peligroso el río.

Finalmente arqueó las cejas y suspiró.

—Bueno, puedes seguirnos, pero tu suerte está en manos de Dios, no en las mías.

—*Gracias* —contesté.

Al anochecer di de comer a Teresa con cuidado. Después recé, le di a la niña dos aspirinas infantiles y una gota de la medicina y me la até fuertemente con la toquilla contra la cadera derecha. También me colgué del hombro izquierdo un talego de tela con víveres, dos botellas de agua y el mapa de Tomás, y seguimos al grupo hasta fuera de la ciudad y luego por un camino paralelo al río. Se oía a las ranas cantar y a las cigarras chirriar a medida que avanzaba la noche.

Finalmente el grupo se detuvo y la mujer más alta me dijo:

—Observa con cuidado por dónde cruzamos. Nos agacharemos de manera que no nos quede más que la cabeza fuera del agua, pero no perderemos pie. El agua no es profunda por donde vamos, pero hay pozas muy hondas a ambos lados. ¿Ves la roca que hay al otro lado del río? No la pierdas de vista cuando cruces y procura mantenerte hacia su derecha —moví la cabeza afirmativamente, y ella continuó—: Sigo pensando que no deberías hacerlo, pero cuando hayamos cruzado rezaré por ti. Sin embargo, por favor, no nos sigas inmediatamente, pues nos pueden coger a todos. Tengo cinco niños que dependen de que lo consiga.

Le di las gracias de nuevo. Teresa lloriqueó un poco, y yo la mecí en mis brazos hasta que se calló. Mientras miraba atentamente, el grupo se deslizó por el declive de la orilla y se metió en el río. La mujer alta se puso de pie un segundo para mostrarme que el agua no era profunda; luego se agachó como los demás de manera que no se le veía el cuerpo.

Yo me senté en la casi total oscuridad y me pareció que les veía las cabezas mientras cruzaban. Al fin me dio la impresión de que subían por el terraplén de la otra orilla. Mientras esperaba a que pasase el tiempo, recé a Nuestra Señora, olvidándome de mis dudas y buscando las estrellas del velo de la Virgen.

—Virgen María —dije en voz baja—, perdóname por alocarme cuando creímos que habíamos perdido a *mamá*. Por favor, no me hagas daño haciendo daño a Teresa. Me arrepiento, me arrepiento de todo. Perdóname mis pecados. Ayúdanos, Señora mía. Haz que volvamos con Julia.

Traté de representarme la cara de *mamá* y agarré con fuerza el collar de Tomás. Al fin decidí que había llegado la hora de que lo intentásemos. Teresa iba quieta sobre mi cadera, y yo me dejé caer sentada por el terraplén procurando mantener el equilibrio entre Teresa y el talego. Me metí en el agua, agarrando bien a mi hermana, y vi la roca del otro lado, gracias a la luz de la luna. El cieno del fondo del río era resbaladizo y me costó trabajo guardar el equilibrio, pero me agaché en el agua, tratando de no dejar fuera más que mi cabeza y la de Teresa, que lloró un poco cuando el agua fría le tocó el cuerpo y que me rodeó con los brazos. Empecé a cruzar, con nuestros cuerpos bajo el agua lo más posible, pero me costaba trabajo ver la roca y había mucha corriente.

Decidí entonces ponerme de pie un momento, para ver si podía localizar la roca con más claridad, pero, al incorporarme, resbalé con el pie izquierdo en el cieno, Teresa dio una sacudida en mis brazos y los víveres y el agua me tiraban de lado. Traté de nuevo de ponerme de pie, pero perdí el equilibrio, me golpeé los dedos de un pie contra una roca y Teresa y yo nos caímos bajo el agua. Forcejeé con las piernas para encontrar el fondo, pero no lo encontré y, aunque traté de agitar las piernas con energía para salir a la superficie, seguíamos bajo el agua. La corriente me arrebató a Teresa de los brazos y al intentar cogerla en las aguas cenagosas, noté que su vestido me tocaba la mano y lo agarré con fuerza. Por otra parte, el talego con el agua y la comida nos tiraba hacia abajo y yo me esforcé por sacarme su cuerda del hombro hasta que, finalmente, noté que se iba flotando.

Seguía forcejeando con las piernas, pero el agua me presionaba aplastándome el pecho por falta de aire y, entonces, vi a la guatemalteca de mi sueño, con los *quetzales* saliéndole de sus ojos hacia mí. Fue en ese momento cuando sentí algo firme bajo el pie derecho, tiré de Teresa y de mí hacia allí, hasta que mi otro pie fue a tropezar contra algo sólido. Ahora que los dos pies habían tocado fondo, empujé con el cuerpo contra la corriente, hacia la superficie. Conseguí sacar la cabeza fuera del agua y, al ponerme de pie, tosiendo, agarré a Teresa con las dos manos, la levanté y la saqué del río.

Le vi la cara en la penumbra, pero ni tosía ni se movía, así que me la eché por encima de un brazo y empecé a darle golpes en la espalda hasta que, de repente, sacudió la cabeza y vomitó. Luego tosió, jadeó, vomitó de nuevo y se puso a gritar. Me invadió una gran alegría al oírla gritar mientras la sostenía en los brazos, luego me acordé de la bolsa. La llevaba todavía al cuello, así que, avanzando paso a paso, volví a vadear el río hasta la orilla de México. Esa noche la pasamos tumbadas al lado de una cabaña de hojalata, bajo un cartón, llorando.

Cuando me desperté a la mañana siguiente, vi a una mujer joven de piel oscura y pelo largo recogido en una trenza, mirándome fijamente.

—Virgen María —exclamó—, ¿qué ha ocurrido?

Me incorporé y miré a Teresa y luego me miré el cuerpo. Estábamos hinchadas y magulladas, pero Teresa dormía muy tranquila de espaldas con un brazo sobre la cabeza, como dormía Óscar con frecuencia.

La joven repitió:

—¿Qué os ha ocurrido? Me llamo Estela. Os oímos gritar anoche.

Mientras le contaba nuestra historia pausadamente, Teresa empezó a lloriquear y yo la cogí en brazos. La mujer examinó la cortadura y las magulladuras que Teresa tenía en un brazo.

—Entra —dijo. La seguí a la cabaña de hojalata—. Este es mi marido, Gilberto —señaló con la cabeza a un hombre y a un chico de aspecto enfermizo—. Ese es nuestro hijo, Juan. Es por él por lo que tenemos que cruzar. Cada vez está más enfermo. Es nuestra única esperanza. Ya hemos perdido a nuestra hijita —la mujer sacudió la cabeza, moviendo con ello su larga y oscura trenza—. Mira, tengo agua y jabón. Le lavaremos las cortaduras a la niña.

Teresa gritaba porque le escocía el jabón, pero yo le

mantenía agarrado el brazo con fuerza. Estela miró a Gilberto mientras trabajaba.

—Trataron de cruzar el río anoche y casi se ahogan. No creo que podamos hacer eso, Gilberto. ¡Ya ves lo peligroso que es!

—¿Por qué no habéis ido con un *coyote*? —me preguntó Gilberto.

—Porque no tengo más que un poco de dinero y Teresa y yo tenemos que llegar a Chicago a reunirnos con nuestra hermana. Además, cuando viajamos con los *coyotes* en otra ocasión, por poco nos morimos —Estela se santiguó.

—Sí —dijo—. Eso nos ocurre a nosotros. Yo también perdí a una hermana y a un sobrino con los *coyotes*. Y a otra hermana a causa de los bandidos. Además, no tenemos más que un poco de dinero. Pero Gilberto tiene un mapa.

—¡Mi mapa! —exclamé en voz alta—. ¡El mapa de Tomás! Lo perdí con los víveres y el agua. —Me llevé la mano al medallón. Seguía ahí.

Estela meneó la cabeza.

—¿Perdiste el mapa en el río? Qué pena.

—Gracias a Dios que tenemos el nuestro —Gilberto suspiró—. Si conseguimos cruzar, el mapa nos llevará a San Antonio.

Estela partió un bollo en dos y nos dio un pedazo a Teresa y otro a mí. El pequeño Juan se puso a llorar y ella se fue hacia él y le cogió en brazos.

—Unas fiebres —dijo—. Le vienen y le van —asentí con la cabeza, pensando en Óscar.

—No podemos tratar de vadear el río otra vez. ¿Sabéis de algún otro medio? —pregunté.

Estela indicó que sí con la cabeza.

—Hay un hombre que tiene una patera neumática.

Él te cruzará a la otra orilla, no más allá, pero lleva caro.

—¿Cuánto?

—Exactamente treinta dólares americanos, por cualquier número de personas, pero nosotros no tenemos más que diez dólares.

Miré a Juan, respiré a fondo.

—Si yo pongo los otros veinte, ¿me llevaríais con vosotros, utilizando vuestro mapa?

Estela se volvió hacia Gilberto:

—Sí —él asintió con un movimiento de cabeza.

Ella sonrió.

—Podríamos hacerlo; cruzar todos juntos.

Cuando se me empezaba a reanimar la cara de esperanza, Teresa empezó a dar palmaditas y a parlotear, y se dejó caer sentada. Todos nos echamos a reír. Pero yo esperé a que Estela y Gilberto no estuviesen mirando para sacar el dinero del dobladillo del vestido.

Esa noche un hombre mayor nos llevó por la orilla del río hasta llegar a un lugar en que un joven vigilaba una patera de goma. Yo llevaba también esta vez una bolsa con agua y la comida que había comprado durante el día. Tanto a Juan como a Teresa les habíamos dado aspirina infantil y la otra medicina y estaban muy callados. Descendimos al borde del río y, cuando me metí en el agua para subirme a la barca, tuve un momento de pánico. Pero entonces vi a la guatemalteca y a los *quetzales* de sus ojos y me sentí un poco más valiente. Coloqué a Teresa en la patera, me embarqué a su lado y la apreté contra mí. El joven empujó la barca río adentro y el hombre mayor empezó a remar, sin que el agua apenas chapalease cuando movía el remo en la casi total oscuridad. Nadie hablaba.

Las estrellas centelleaban cuando las contemplé.

Pronto haría un año que habíamos perdido a *papá* y a Ramón y que habíamos empezado nuestros largos viajes. *Papá*, pensé, explorando el firmamento, ¿en qué estrella estás? *Mamá*, ¿le has visto? Luego al oír la agitación de los remolinos, miré hacia abajo, y me acordé de la anciana de mi sueño escalando la montaña. Cuando levanté la vista, el terraplén de la otra orilla me impedía ver las estrellas.

El anciano dijo en voz muy baja:

—Salgan ahora, y no hagan ruido. Que Dios les acompañe —me metí en la orilla del agua y saqué la bolsa y a Teresa de la patera. Gilberto llevaba a Juan en brazos, y todos juntos subimos el terraplén y nos tumbamos en la hierba para escuchar por si venía la *migra*. Teresa empezó a lloriquear y le puse la mano sobre la boca, pero no se oían más que las aves nocturnas.

Finalmente, Gilberto susurró:

—Vamos. Quedaos muy pegadas a mí —avanzamos rápidamente en la oscuridad, tropezando alguna vez. Gilberto de vez en cuando encendía una cerilla y miraba el mapa. Estela llevó a Teresa en brazos durante un rato, pero Teresa empezó a inquietarse, así que me la dio a mí de nuevo. Me la volví a atar a la cadera y se tranquilizó. En la lejanía oí ladrar un perro.

De repente, del cielo nos llegó un ronroneo. Yo miré hacia las estrellas al ir el ruido en aumento.

—¡Un helicóptero! ¡Echaos al suelo! —gritó Estela. Tiré la bolsa y a Teresa al suelo y oí cómo se me rompía la botella de agua. Me tumbé sobre Teresa y la apreté contra mí. Se revolvió y empezó a llorar, pero una vez más le tapé la boca con la mano y, aunque se debatió y retorció, la sujeté con fuerza.

El ruido del helicóptero fue en aumento y vi que una luz azul rastreaba el suelo. Nos apretamos contra él y me pareció oír a Julia gritar. Pero la luz pasó rápidamente por nosotros y continuó. El estrépito del motor seguía retumbándome en los oídos, y yo continuaba tumbada sobre Teresa en el suelo, rezando. Al fin el ruido se fue debilitando y oí a Gilberto rezando el Padre Nuestro. Juan y Estela lloraban muy bajito.

—No nos han visto —dijo Gilberto muy quedamente—. Dios quiere que sobrevivamos. Qué mala suerte que te hayas quedado sin agua, María. Ahora compartiremos la nuestra.

Después de cruzar una acequia de riego, en la casi total oscuridad, Gilberto dijo en voz baja:

—Vamos a pasar el resto de la noche aquí. Me parece que es demasiado peligroso seguir a causa de las culebras. No las veríamos —mientras trataba de alisar el suelo para tumbarnos Teresa y yo, Gilberto continuó—: Nos beberemos el resto de nuestra agua esta noche y por la mañana iré a buscar más. Haré que la gente crea que trabajo por aquí en los campos. —Teresa se quedó quieta al momento en cuanto nos tumbamos. Yo contemplaba las estrellas, y Estela cantaba suavemente a Juan.

Oí el ladrido de un perro y me desperté temprano a la mañana siguiente. No me moví sino que permanecí tumbada de costado, parpadeando a causa de la luz. Teresa dormía apoyada en mis piernas, y Gilberto y Estela estaban tumbados uno al lado del otro a mi izquierda. Me fijé entonces en Juan, que estaba algo apartado de nosotros, frotándose los ojos con el puño, perfilado contra la claridad del amanecer. En ese momento oí el castañeteo.

—¡Juan! —grité, y el niño se volvió hacia nosotros. Estela y Gilberto se pusieron de pie de un salto, despertados por el susto, y la serpiente desapareció deslizándose entre la maleza seca.

Estela meció a Juan entre sus brazos.

—Odio esto. Odio tener que pasar por esto —gritó.

Algo después, Gilberto se marchó en busca de agua. Cuando volvió con ella bebimos unos tragos y emprendimos la marcha de nuevo, dando traspiés durante la mayor parte del día a causa del calor y la fatiga. Finalmente nos paramos junto a unas rocas para descansar. Estela se sentó, colocó la cabeza de Juan en su regazo y le acercó un poco de agua a los labios. Luego le tocó la frente.

—Oh, Virgen Santísima, está muy caliente. Tócale, María —le toqué la cara. Me recordaba mucho a Óscar.

Gilberto se arrodilló y también le tocó la frente a Juan.

—Está realmente enfermo —dijo—. Según el mapa, debemos de estar cerca de Edinburg. A lo mejor hay un médico allí, o a lo mejor yo podría encontrar trabajo para poder tomar el autobús a San Antonio. Si pudiésemos llegar a la ciudad, nuestra tía le curaría.

Recapacité y pensé en el dinero que aún me quedaba. Luego me acordé de Julia y en lo que había estado a punto de hacer para conseguir el dinero, y me acordé de lo que doña Elena había vendido. Tragué saliva.

—Yo todavía tengo dinero —dije—. A lo mejor es bastante para coger un autobús a San Antonio, si no es peligroso ir a la ciudad. ¿Y me ayudaríais a buscar trabajo en San Antonio a fin de ganar lo necesario para ir a Chicago?

Estela se me quedó mirando con la trenza sobre un hombro.

—Oh, María, tú eres una bendición para nosotros.

Dirigí la vista hacia abajo y luego hacia Gilberto. Tenía los ojos bajos y me parecío ver lágrimas en ellos, pero me aparté rápidamente para no herirle en su orgullo.

—Sí, una bendición —dijo en voz baja.

Así que a la mañana siguiente caminamos lentamente hasta el borde de la ciudad. Yo dejé a Teresa con los otros al lado de un matorral en un solar y entré tranquilamente en una tienda y pregunté en inglés:

—Pañales. Yo comprar pañales —al volver donde estaban vestí a Teresa al estilo de los Estados Unidos. Paseamos luego por las calles, como la otra gente, y nadie pareció fijarse en nosotros. Por último, llegamos a un edificio en el que decía ESTACIÓN DE AUTOBUSES.

Abrí la puerta de entrada. Me dio en la cara una corriente de aire fresco y percibí un olor a desinfectante. Entramos. Había gente sentada en los bancos, y detrás de la ventanilla de la taquilla había un hombre. Yo me volví a Gilberto y le dije quedamente:

—Sentaos. Voy a llevar a Teresa al cuarto de baño y a sacar el dinero. —Estela cogió a Juan de los brazos de Gilberto y todos se sentaron en el banco. Crucé la sala con Teresa en brazos y entré por una puerta en la que estaba indicado SEÑORAS.

Una anciana negra estaba inclinada sobre una fregona en el cuarto de baño, fregando el suelo y cantando mientras trabajaba. Levantó la vista hacia mí y guiñó los ojos, y yo pensé en la *Señora Quetzal.*

—Dios Santo —dijo en inglés, y luego continuó despacio—. Tienes mal aspecto, niña.

Yo me la quedé mirando, sin saber qué decir, y dejé a Teresa junto al lavabo, pero Teresa se agarró a mis piernas y se puso a llorar, mirando asustada a la mujer. Cogí unas toallas de papel, las mojé, me agaché y le lavé la cara.

La anciana se puso de nuevo a cantar y a fregar y yo metí a Teresa conmigo en un retrete, me introduje la mano por el vestido y saqué el resto del dinero. Comprendí unas pocas palabras de la canción de la mujer: «Río... frío y ancho... —mientras oía el chapoteo de la fregona mojada sobre el suelo—, ... pero amigos... en el otro lado...». Salí del retrete, llevando a Teresa sobre la cadera y me vi en el espejo. Estaba tan negra y delgada como una sombra, pero estábamos vivas. Volví a mirar y vi la imagen de la anciana, que me miraba fijamente mientras seguía cantando. Crucé el suelo mojado, abrí la puerta y les vi.

Un policía de fronteras uniformado estaba esposando a Gilberto, y otro hombre de uniforme tenía agarrada a Estela por el codo. Juan lloraba en los brazos de su madre, y ella me miró. Nuestras miradas se cruzaron durante un segundo, pero ella apartó la vista. Me volví a meter en el cuarto de baño, temblando, con Teresa en brazos, y la anciana negra me miró y sonrió señalándome un letrero.

—Cerrado para limpiar —me dijo, enseñándomelo. Sacó el cubo y la fregona del cuarto y cerró la puerta al salir. Luego la oí colgar el letrero en la puerta. Con Teresa en brazos me eché a llorar.

Lloré por Estela, por Gilberto y por Juan y porque finalmente lo sabía. El haber salvado a Teresa no me iba ni a devolver a *papá* ni a sanar a Óscar para siempre. No tendría nada que ver con cuando volveríamos a reunirnos con *mamá*. Sollocé y sollocé sentada en el suelo, agarrada a Teresa que lloriqueaba en mis brazos. Al fin me tranquilicé. Después de todo, teníamos a Teresa. A la pequeña Teresa. Y *mamá* estaba viva. La acuné suavemente en mis brazos.

A última hora de la tarde, Teresa y yo estábamos ya en un autobús en dirección hacia el norte. Primero iríamos a San Antonio y luego seguiríamos a Chicago. Paramos en un control de Inmigración poco después de emprender el viaje, pero, cuando el policía de fronteras se subió al autobús, no hizo más que mirar mi tarjeta de identidad, luego hizo una seña al conductor para que continuase hacia el norte.

—Gracias a Dios que podemos relajarnos. Hemos pasado el último puesto de control —oí decir a un hombre en español.

Contemplé la campiña. El sol estaba ya bajo en el cielo y perfilaba con su luz las cosechas y a los trabajadores. Los gavilanes volaban muy por encima de ellos. Pensé en el frío y en lo grisáceo de Chicago, pero también reviví el recuerdo de Julia, Óscar, Ramona la pequeñita, Tomás, doña Elena y los demás. Vi las lágrimas en los ojos de Julia al recibirnos y me imaginé a Julia y a mí, despiertas en el colchón, charlando mientras los pequeños dormían a nuestro lado. Luego vi a Óscar, de pie, apoyado sobre un pie, envuelto en su abrigo y en la vieja cortina, y a Tomás detrás de él.

—*Papá,* ojalá estuvieses con nosotros. *Mamá* ven pronto —entonces cerré los ojos.

Pocos minutos después noté unas palmaditas en la mejilla. Teresa se había puesto de pie en mi regazo y parpadeaba.

—Tesa, Tesa, Tesa —decía—. *Mi'a, Mi'a* —se echó a reír.

La contemplé y pensé en las palabras escritas en la pared de la iglesia de Ana de Onarga. «Morir a los cien años será morir niño», susurré. Luego, sonriendo a mi hermana pequeña, empecé mi cuento. «En un pueblo caliente con mil colores vivía un gorrioncillo que amaba a una niñita.»

AUSTRAL JUVENIL

El libro de bolsillo para los lectores jóvenes.

ÚLTIMOS TÍTULOS PUBLICADOS